新潮文庫

海からの贈物

アン・モロウ・リンドバーグ
吉田健一訳

目次

序……七
浜辺……一一
ほら貝……一七
つめた貝……三五
日の出貝……五九
牡蠣……七七
たこぶね……八九
幾つかの貝……一一一
浜辺を振返って……一二一
あとがき……一三〇

海からの贈物

序

ここに書いたのは、私自身の生活のあり方、またその私自身の生活や、仕事や、付き合いの釣《つ》り合いの取り方に就いて考えてみるために始めたものである。そして私はものを考える時は鉛筆を手に持っていたほうがいいので、いつの間にか書き出した。そんなふうにして、私の考えが紙の上で形を取始めたのであるが、初めのうちは、私は自分が経験したことが他の人のとは違っているという気がしていた（私たちは皆そういう感じを持っているのだろうか）。というのは、私は或《あ》る意味では他の人たちよりも自由な、そしてまた或る意味ではもっとずっと不自由な境遇に置かれていたからである。

それに私は、女というものが皆新しい生活を求めたり、自分一人でものを考える場所を欲しがっている訳ではなくて、多くは自分の現在の生活で満足しているのだとも思った。そしてその人たちが送っている生活から受ける印象では、非常に旨《うま》く、私などよりもずっと旨くやっているという感じがした。私はそういう人たちが何の滞りもない日々を過しているのを見て、羨《うらや》ましく思いもし、感嘆もした。この人たちにとって問題などというものはなくて、或《ある》いはあったにしても、それはとっくの昔に解決されているのに違いなかった。そんな次第だったから、私は自分が考えているようなことは私自身にしか価値も興味もないものと決めた。

しかし私は書きながら、他のいろいろな女の人、——年取った人や、若い人や、そして生活の仕方や経験の点でも皆違っていて、自活しているのや、職業婦人になりたいのや、妻、また母として忙しい暮しをしているのや、もっと余裕があるのや、——そういういろいろな人と話をしてみて、私の考え方が決して私だけのものではないことが解《わか》った。その形式や環境は違っていても、多くの女が、そして女だけでなくて男も、本質的には私と同じ問題と取組んでいて、それにはどういう解決があるかに就いて一緒に話もし、考えたがってもいるのだった。また時計のように正確に歯車が回っているとしか思えない生活をしている人たちの中にも、もっと豊かな休止がある律動を、またもっと自分たちの個人的な要求に適《かな》った生き方を、そしてまた、他人、及び自分自身に対してもっと新しい、有意義な関係に立つことを望んでいる点では、私と変らないものが少なくなかった。

そういう訳で、いろいろな女や男の人たちの話や、議論や、告白から得た材料が以下の幾つかの文章に加えられていくうちに、それはもう私だけの個人的な話ではなくなり、私はこれを、そこに書いてあることの多くを私と分け合い、またそれを暗示してくれた人たちにお返しすることにした。それで私はここに、私と同じ線に沿ってものを考えている人たちに対する感謝と友情を添えて、海から受取ったものを海に返す。

浜辺

I

浜辺は本を読んだり、ものを書いたり、考えたりするのにいい場所ではない。私は前からの経験でそのことを知っているはずだった。温か過ぎるし、湿気があり過ぎて、本当に頭を働かせたり、精神の飛躍を試みたりするのにはいい心地がよ過ぎる。しかし何度繰返しても同じことで、やはり浜辺へは禿《は》げちょろの藁《わら》の籠《かご》に本や、紙や、もうずっと前に返事を書くはずだった手紙や、削りたての鉛筆や、しなければならないことの表などを一杯詰めて、張りきって出掛けて行く。そして本は読まれず、鉛筆は折れて、紙は雲一つない空と同じ状態のままになっている。読みもしなければ、書きもせず、ものを考えさえもしない。——或《ある》いは少なくとも、初めのうちは、である。

初めのうちは、自分の疲れた体が凡《すべ》てで、航海に出て船のデッキ・チェアに腰を降ろした時と同様に、何もする気が起らない。頭を働かしたり、予定通りに仕事をしたりする積りになる毎《ごと》に、海岸の原始的な律動の中に押戻される。寄せて来て砕ける波や、松林を吹き抜ける風や、鷺《さぎ》が砂丘の上をゆっくり羽搏《はばた》きしながら飛んで行くのが都会や、時間表や、予定表の気違い染《じ》みたざわめきを消して、自分もその魔術に掛り、気抜けがして、ただそこに横になったままである。つまり、その自分が横になっている、海のために平らにされた浜辺と一つになるので、浜辺も同様にどこまでも拡《ひろ》がっている空っぽなものに変り、今日の波が昨日の跡の凡てを洗い去る。

　そして二週間目の或《あ》る朝、頭が漸《ようや》く目覚めて、また働き始める。都会でも同じ形でではないが、浜辺の生活なりにである。それは浜辺に砕ける波とともに漂ったり、戯《たわむ》れたり、静かに巻き上がったりし始める。頭に起きたこういう無意識の波が、意識の白い、滑らかな砂の上に偶然にどんな宝を、どんなに見事に磨《みが》き立てられた小石を、或いは海の底にあるどんな珍しい貝を投げ出すか解《わか》らない。ほら貝、つめた貝、或いはたこぶねさえもが打上げられるかも知れない。

　しかしそれをこっちから探そうとしてはならないし、ましてそれが欲しさに砂を掘り返したりすることは許されない。海の底を網で漁《あさ》るようなことをするのはここでは禁物で、そういうやり方で目的を達することはできない。海はもの欲しげなものや、欲張りや、焦《あせ》っているものには何も与えなくて、地面を掘りくり返して宝ものを探すというのはせっかちであり、欲張りであるのみならず、信仰がないことを示す。忍耐が第一であることを海は我々に教える。忍耐と信仰である。我々は海からの贈物を待ちながら、浜辺も同様に空虚になってそこに横たわっていなければならない。

ほら貝

II

私が手に持っている貝殻《かいがら》の中は空である。それはかつてはほら貝という蝸牛《かたつむり》のような格好をした動物の家だったので、これが死んでから暫《しばら》くは小さなやどかりの住居になり、このやどかりは砂の上に細い蔓《つる》が伸びているのに似た跡を残して逃げて行き、私にこの貝殻を残したのである。これはそれまではやどかりの体を保護していて、私は貝殻を裏返し、その大きな入口を見る。やどかりはそこから逃げ出したのである。貝殻を背負って歩くのが厄介《やっかい》になったのだろうか。なぜこの貝殻から逃げたのだろう。もっといい家が、もっといい生活の仕方があると思ったのだろうか。そう言えば、私も何週間かの休暇の間、私の生活の殻から抜け出して来たのである。

しかしやどかりが住んでいた貝殻は簡単なものであり、無駄《むだ》なものは何もなくて、そして美しい。大きさは私の親指ぐらいしかないが、その構造は細部に至るまで一つの完璧《かんぺき》な調和をなしている。形は西洋梨《せいようなし》のように真ん中が膨らんでいて、先端に向って緩やかに巻き上がり、色は鈍い金色で、海の塩が付いている所が白くなっている。どの渦巻《うずまき》も、どの小さな突起も、卵の殻のように華奢《きやしゃ》な感じがするその表面を蔽《おお》っている模様のどの部分も、この貝殻が今できたばかりかと思われるほどである。これが、やどかりが住んでいた時に昇り降りした螺旋《らせん》状の階段の外側で、幾ら眺《なが》めても飽きるということがない。

私が住んでいる貝殻である私の生活は、こんなではない。それはなんと目も当てられないものになっていることだろうか。苔《こけ》が生《む》し、寄生した藤壺《ふじつぼ》でごつごつして、それが本当はどんな格好をしているのかさえも解《わか》らなくなった。しかしこれも初めはちゃんとした格好をしていたはずで、私の頭の中ではまだそれがそのまま残っている積りである。それでは、私の生活はどんな格好をしているのだろうか。

今日の私の生活は、先《ま》ず私の家族から始まる。私には夫と、五人の子供があって、私たちはニュー・ヨークの郊外に住んでいる。私はものを書き、それで私にはしたい仕事というものがある。勿論《もちろん》、私の生活の格好はこの他にいろいろなものの影響を受けてできたので、その中には私が子供の時に育った環境、私が受けた教育や私の頭の働き方、良心の動き、それから心の要求などを数えなければならない。私は夫や子供たちに何かを与えるとともに私も向うから何かを与えられ、友達や私が住んでいる社会とものを分け合い、それから女、また文筆家、そしてまた市民として人間の世界に対して私が負わされている義務を果したい。

しかし私は何よりも先に、――こういう他の望みもやはりそこを目指しているという意味で、――私自身と調和した状態でいたい。私は今言ったような義務や仕事に私の最善を尽すために、ものをはっきり見て、邪念に悩まされず、私の生活の中心に或《あ》るしっかりした軸があることを望んでいる。要するに、――聖者たちの言葉を借りるならば、――私はなるべく「恩寵《おんちょう》とともに」ある状態で生きて行きたいのである。私はこの言葉を厳密にその神学上の意味に使っているのではなくて、本質的には精神的なものであると同時に、外面的な調和にそのまま変り得る内的な調和を、この言葉で言い表したいのである。私は或《ある》いはプラトンの『パイドロス』に出て来る、「外面的な人間が内的な人間と一つになることを」というソクラテスの祈りと同じものを求めているのかも知れない。私はそういう形で恩寵の状態に達して、神の心に適《かな》うように人に与え、仕事をしたいと思う。

この定義は曖昧《あいまい》であるが、人によって使う言葉は違っても、多くのものが自分の生活の或る時期では「恩寵とともに」あり、別な時期では「恩寵を失った」ように感じるというのは本当ではないだろうか。「恩寵とともに」ある幸福な状態では、どんなことでも直《す》ぐに片付いて、何か自分が大きな波に乗っている気がするのに、その反対の状態では、靴《くつ》の紐《ひも》を結ぶのも一苦労なのである。尤《もっと》も、恩寵の状態にあるとないとに拘《かかわ》らず、私たちの生活の大きな部分が靴の紐を結んだりすることの技術を習得するのに過されることに変りはない。しかし生活するということにも技術があって、恩寵を求めるのにも技術があるとさえ言える。そしてそういう技術を習得することもできる。私は或る程度までは自分自身で経験したことや、他の多くの人たちが示してくれた手本や、同じものを求めていた無数の人々が残した著書によって、或る種の環境、それから生活の仕方、また行いは、他の種類のものよりもそういう内的な、及び外面的な調和を得るのに適していることを知った。幾つかの方法が確かにあって、自分の生活を簡易にすることがその一つである。

私は簡易な生活を望み、やどかりのように何でもなく運んで行ける殻の中に住みたい。しかしそれは私にはできないことで、私の生活は簡易であることを目指すのに向いていない。私の夫も、五人の子供も、この世で銘々の地位を得て生きて行かなければならなくて、私が選んだ妻、及び母としての生活は凡《およ》そいろいろな面倒なことで満たされている。それは郊外にある一軒の家と、次には、我々多くのものにとっては全然ないか、或いは殆《ほとん》どないのに近い手伝いの問題、でなければ、家事に追われて何もできないということを含んでいる。それは食べものや住居の問題、料理や、家計簿や、買いものや、請求書や、なんとかして収支を償わせることを含んでいる。またそれは買いものをする店の人たちだけでなくて、各種の現代的な「簡易化」の設備がしてある（例えば、電気、下水、電気冷蔵庫、ガス・ストーヴ、石油焜炉《こんろ》、皿洗い器、ラジオ、自動車、及びその他のいろいろな手間を省く道具がある）私たちの家で不自由しないで暮すのに必要な大勢の専門家との接触を意味している。また家族の健康ということもあって、医者や、歯医者や、診察の時間や、薬や、肝油や、ビタミンや、薬屋まで出掛けて行くことがその中に入る。また精神的な、或いは知的な、或いはまた肉体的な教育の面では学校や、学校での集会や、自動車の駐車場や、バスケット・ボール、或いは管弦楽団の練習や、個人教授や、キャンプや、キャンプ生活に必要な道具や、輸送の問題がある。それから衣類のこと、またそのための買いもの、洗濯《せんたく》屋、洗濯、繕い、スカートを長くしたり、ボタンを付けたり、或いは自分の代りにそれをやってくれる人を見付けるということもある。それから私の夫にも、子供たちにも、また私自身にも友達があって、友達が集まるのには手紙や、招待状や、電話や、送り迎えのことで絶えず頭を使っていなければならない。

なぜなら、今日のアメリカでの生活は段々範囲が広くなって行く接触と伝達を基礎にでき上がっていて、それは家族生活だけでなしに、新聞や、雑誌や、ラジオの番組や、政治運動や、慈善団体の呼び掛けなどという社会的な、また文化的な機関を通して市民に対してなされる各種の共同生活上の、それからまた国家的な、そしてまた国際的な要求を意味しているからである。私はそのことを考えただけでも眩《めま》いがする。私たち、アメリカの女はなんという芸当をやってその日その日を過していることだろう。曲馬団の軽業師も私たちに比べればものの数ではなくて、私たちは毎日、本や、乳母車や、日傘《ひがさ》や、台所の椅子《いす》を頭に載せて綱渡りをしている。それだけに、注意しなければならない。

これは少しも簡易な生活ではなくて、その反対の、私たちよりも賢明な人たちが戒めている煩雑《はんざつ》な生活である。それは私たちを統一にではなくて分裂に導き、恩寵を授ける代りに私たちの魂を死なせる。そしてこれは私自身の生活に就いて本当であるだけでなくて、それが何百万というアメリカの女が送っている生活なのだと思わざるを得ない。私は殊《こと》にアメリカということを強調するが、それは今日ではそういう生活を自分のに選ぶことがいわば、アメリカの女の特権になっているからである。アメリカを除いた文明の世界の非常に広い地域にわたって、今日の女は戦争や、貧困や、それまで住んでいた世界の崩壊や、単に生きて行くための努力だけで、時間的にも空間的にももっと狭い世界の中に追い込まれ、家庭生活や、生存ということそのものから直接に生じる問題と取組むので手一杯なのである。しかしアメリカの女だけは、それよりももっと広い範囲の生活を選ぶ自由をまだ今のところは与えられていると言える。この羨《うらや》むべき、そしてまた危なっかしい地位をアメリカの女がいつまで保てるかは解らない。しかし現在のそういうアメリカの女の地位は、それにかえられている経済的な、或いは国家的な、或いはまた、女であるからという制約を遥《はる》かに越えた重要な意味を持っている。

なぜなら、この生活が煩雑であるという問題はアメリカの女だけでなくて、アメリカの男も直面しているものだからである。そしてこれはアメリカ人にとって問題であるのに止《とど》まらずに、現代文明そのものに課された問題でもあって、それはアメリカ人の生活が今日では世界の他の国々に住む多くの人たちによって一つの理想にされているからである。また最後に、これは現在の文明に限られたことではなくて、ただそれが極端な形を取っているだけのことであり、この弊害は実際には常に人類を脅《おびや》かしてきた。プロティノスは既に三世紀に、煩雑な生活をすることの危険を説いている。しかしながら、これは殊に、また本質的に女の問題であって、それは分散、或いは気が散るということが今までも、そして恐らくこれからも、女の生活から切り離せないものだからである。

それは、女であるということが、丁度、車の輻《や》のように、中心から四方八方に向っている義務や関心を持つことだからである。私たち、女の生活は必然的に円形をなしている。私たちは夫とか、子供とか、友達とか、家とか、隣近所の人とか、凡《すべ》てを受入れなければならない。私たちは蜘蛛《くも》の巣も同様に、どこから吹いて来る風にも、どこから来る呼び掛けにも敏感な状態で自分というものを拡《ひろ》げている。そしてそれならば、そういう相反した方向に働く幾つもの力の作用にさらされて、平衡を保っているということが私たちにはどんな困難なことだろうか。またそれにも拘らず、それは私たちにとってどんなに大切なことだろうか。宗教生活で常に説かれる不動ということは、私たちにはどんなに得難くて、そしてまた、なんと必要だろうか。瞑想家《めいそうか》や、芸術家や、聖者にとっての理想である内的な平静、また曇らない眼《め》というものは、私たちにいかに望ましくて、そして私たちから遠いことだろうか。

私はそういうことから急に眼を開かれた気持で、そしてそれは苦痛であるとともに或る滑稽味《こっけいみ》を私に覚えさせるものでもあるのだが、なぜ、女で聖者だった人たちが稀《まれ》にしか結婚しなかったかを理解する。それは私が初め考えていたように、禁欲とか、子供とかいうこととは本質的には関係がなくて、何よりもこの気が散るということを避けるためだった。子供を生んで育て、食べさせて教育し、一軒の家を持つということが意味する無数のことに頭を使い、いろいろな人間と付き合って旨《うま》く舵《かじ》を取るという、大概の女ならばすることが芸術家、思索家、或いは聖者の生活には適していない。それで問題は、女と職業、女と家庭、女と独立というようなことだけではなくて、もっと根本的に、生活が何かと気を散らさずにはおかない中でどうすれば自分自身であることを失わずにいられるか、車の輪にどれだけの圧力が掛って軸が割れそうになっても、どうすればそれに負けずにいられるか、ということなのである。

そしてそれに対して、どういう答があるだろうか。直ぐに思い付く答、また、完全な答というものはなくて、私にはただ幾つかの手掛りが、浜辺で拾った貝のような手掛りが与えられているだけである。ほら貝の簡素な美しさは私に、一つの答は、そして或いは問題を解決するための第一歩は、自分の生活を簡易にして、気を散らすことの幾つかを切り捨てることなのだということを教えてくれる。しかしどうすればそれができるだろうか。今までの生活から完全に離れるという訳にはいかない。私には私なりの責任があって、それを捨てることはできない。無人島に一人で住むことも、家族に囲まれて私だけが尼さんの生活をすることもできない。またそれを私は望んでもいない。私にとっての解決は、この世を完全に捨てることにも、完全に受入れることにもなくて、その中間のどこかで釣《つ》り合いを取り、或いは、この両極端の間を往復する一つの律動を見付けなければならないのである。孤独と接触、退避と復帰の間に吊《つ》るされた振子になるのであって、今こうして世間を避けて一人でいる間に、世間での生活で役に立つことが何か学べるかも知れない。少なくとも、私は手始めにこれからの二週間、私の生活を表面だけでも簡易にする練習をすることができる。やってみて、その結果を待つことにしよう。ここの浜辺でならば、それができる。

浜辺での生活で第一に覚えることは、不必要なものを捨てるということである。どれだけ少ないものでやって行けるかで、どれだけ多くでではない。それは先ず身の回りのことから始まって、不思議なことに、それが他のことにも拡がって行く。最初に着物で、勿論、浜辺で日光を浴びていれば着物の数は少なくてすむが、それは別としても着物をそう何枚も持っていなくてもいいことに、ここに来て急に気が付く。箪笥《たんす》一杯ではなくて、鞄《かばん》一つに入るだけあればいいのである。そしてこれはなんと有難いことだろうか。直したり、繕ったりする面倒が省けて、そしてそれよりも助かるのは、何を着るかということで頭を悩まさずにすむことである。そして着物の面倒がなくなるのは、同時に、虚栄心を捨てることでもあることが解る。

その次は、自分の住居である。ここでは、冬のアメリカの北部でのように住居を密閉することはなくて、私は貝殻も同様の、屋根と壁だけの家に住んでいる。煖房《だんぼう》も、電話も、問題にするほどの下水も、湯を沸かす設備もない。あるのは石油焜炉が一つだけで、それで器具が故障を起すということはあり得ない。絨毯《じゅうたん》もないのである。初め来た時はあったが、これは巻いてしまって、砂を掃くのには床に何も敷いてないほうがいい。しかしここでは、無暗《むやみ》に掃除をするということもない。埃《ほこり》というものが余り気にならなくなって、整頓《せいとん》や清潔ということに就いて私が持っている清教徒的な良心もどこへか行ってしまった。そのような良心というものも、物質的な重荷の一種なのだろうか。カーテンもこの家にはない。外から見られないでいるのには、家の回りに生えている松だけで十分で、それに私は窓をいつも開け放しにしておきたいし、雨が降り込んでも構わない。私はいろいろなことに就いて、今までのように気を遣わなくなっている。古くて色が剝《は》げた、洗濯が利《き》く着物を着ているのをなんとも思わなくて、人がそれを見てどう考えるかということも苦にならない。自尊心というものに悩まされなくなったのである。家具もなるべく少なくして、必要なものはほんの少ししかない。そして私はこの貝殻に過ぎない私の家に、私が本当に何も隠さずに話せる友達だけを呼ぶことにする。私は交際上の偽善ということも捨て始めているのである。そしてそれでどれほど私の気が楽になることだろう。私は、生きて行く上で一番疲れることの一つは、体面を繕うことだということを知っている。それだから、社交というものがあれほど私たちを疲れさせるので、それは私たちが仮面を被《かぶ》っているからである。そして今、私はその仮面を捨てたのである。

ここにいると、アメリカ北部では冬になくてはならないと思っていたいろいろなものがなくても、少しも不自由しないで暮せることが解る。そしてこれを書きながら、ドイツの捕虜収容所で三年間を過したフランスの或る友達が私に同じようなことを言ったのを思い出して、そこに見られる生活の違いが余りにも大きいのに不意を打たれた感じにならざるを得ない。その友達によれば、収容所では勿論、碌《ろく》に食べるものはなくて、ときにはひどい目に会わされ、行動の自由も殆どなかったが、それにも拘《かか》わらずそこでの生活は、その友達に人間がいかに少しのものでも生きて行けるか、そしてそういう簡易な生活がどんなに大きな精神上の自由と平和を与えるものかということを教えたというのである。私はそれに就いて、今日、アメリカに住んでいる私たちには他のどこの国にいる人たちにも増して、簡易な生活と複雑な生活のいずれかを選ぶ贅沢《ぜいたく》が許されているのだということを幾分、皮肉な気持になって思い返す。そして私たちの中の大部分は、簡易な生活を選ぶことができるのにその反対の、複雑な生活を選ぶのである。戦争とか、収容所とか、戦後の耐乏生活とかいうものは、人間にいや応なしに簡易な生き方をすることを強《し》いて、修道僧や尼さんは自分からそういう生き方を選ぶ。しかし私のように偶然に何日間か、そういう簡易な生活をすることになると、同時に、それが私たちをどんなに落着いた気持にさせるものかということも発見する。

それは、余り美しい生活とは言えないのではないかと思うものがあるかも知れない。私たちは安楽を願う心や虚栄心からだけでなしに、美しさも求めていろいろなものを手に入れるのである。それならば、貝殻《かいがら》も同様の私の家は醜いだろうか。そんなことはなくて、私の家は美しいのである。そこには殆ど何も置いてないが、その中を風と日光と松の木の匂《にお》いが通り抜ける。屋根の、荒削りのままになっている梁《はり》には蜘蛛の巣が張り廻《めぐ》らされていて、私はそれを見上げて初めて蜘蛛の巣は美しいものだと思う。それは白髪が中年の女の顔に寄った皺《しわ》をぼかすのと同じ具合に、梁のごつごつした線を和らげる。私はもう白髪を抜こうともしなければ、蜘蛛の巣を払いもしない。壁は、初めのうちは、確かに殺風景な感じがした。がらんとしていて、四方をこの壁に囲まれていると窮屈になり、私は絵を掛けるとか、窓を作るとかして壁に変化が与えたくなった。それで私は浜辺から風と砂で繻子《しゅす》のような肌《はだ》に磨《みが》き上げられた流れ木を引摺《ひきず》って来て、その他に、柔らかな葉の先が赤くなっている蔦《つた》があった。それから日光にさらされて真っ白になった大袖貝《おおそでがい》の残骸《ざんがい》も拾って来て、その奇妙に凹《へこ》んだ形はどこか抽象派の彫刻に似ていた。私はそういうものを壁に打付けたり、部屋の隅《すみ》に立て掛けたりして、それで今ではもう何も文句を言うことはない。外が眺めたければ窓が一つあって、そこから私の考えはいつでも部屋の中から飛び立つことができる。

私はこれだけで十分に満足している。私がものを書く机は台所用のもので、その上に吸取紙とインクの壜《びん》が置いてあり、文鎮の代りに雲丹《うに》の殻が一つ、ペン置にはいおおの貝を使って、大袖貝の桃色をした端が折れたのを時々いじくり、他にものを考える材料に貝殻が幾つか並べてある。

私はこの貝殻に似た家が好きで、これを私の家族がいる所まで持って帰っていつまでもこの中に住みたいと思う。しかしそれはできない相談で、この家に夫と五人の子供と、それから日常生活に必要な器具や家具はとても入らない。私はこの小さなほら貝しか持って帰れなくて、私はこれをコネティカットの家でも机の上に置き、簡易な生活の理想を忘れずにいて、私がここの浜辺で始めたことを続けるための励みにしようと思う。どれだけ多くのものでではなくて、どれだけ少ないものでやっていけるかということをいつも心掛け、私の生活にまた一つ何か、例えば何か一つの仕事を加えたくなった時に、それは必要だろうかと自問するために、である。

　外面的な生活を簡易にするだけではまだ足りない。外側は外側に過ぎないのだが、それでも私はそこから始めようと思う。私は一つの貝殻の外側を、そしてまた私の生活の、——つまりその殻を見ているのである。完全な答というものはそこには求められなくて、これは単に一つの方法、恩寵《おんちょう》とともにある状態に辿《たど》り着くための一つの道でしかない。本当の答はいつも中に隠されていることを私は知っている。しかし外側も手掛りになって、中の答を探り当てるのに役に立つ。そして私たちはやどかりと同様に、自由に貝殻を換えることができるのである。

　私はほら貝を机の上に戻す。私がそれを見ている間に、私の考えは中へ、中へと進む一つの螺旋《らせん》状の階段を昇り始めたのである。

つめた貝

Ⅲ

これは蝸牛《かたつむり》の殻《から》の格好をした貝で、円くて艶《つや》があって椽《とち》の実に似ている。こぢんまりした形の貝で、猫《ねこ》が丸まっているような具合に、い心地よさそうに私の掌《てのひら》に納まる。乳白色をしていて、それが雨が降りそうな夏の晩の空と同じ薄い桃色を帯びている。そしてその滑らかな表面に刻み付けられた線は貝殻のやっと見えるぐらいの中心、眼《め》ならば瞳孔《どうこう》に相当する黒い、小さな頂点に向って完全な螺旋《らせん》を描いている。この黒い点は不思議な眼付きをした眼で、それが私を見詰め、私もそれを見詰める。

またそれは時には、空に威厳に満ちて輝く満月になり、ときには夜、草が茂っている中を音を立てずに通って行く猫の眼でもある。そしてそれはまた、輪を描いて段々に拡《ひろ》がって行く波に取巻かれた島にもなって、この島はただそうしているだけで充足して波間にその姿を現わしている。

島というのは、なんと素晴らしいものだろう。私が今来ているような空間的な意味での島でもいいし、それは何マイルも続く海で囲まれ、こういう島を本土と繋《つな》ぐ橋も、電信も、電話もなくて、島は世界からも、世間での生活からも切り離されている。またそれは時間的な意味での島でもよくて、私のこの短い休暇が丁度そういう島なのである。過去と未来は切り離されて、ここには現在だけしかない。そして現在の中でだけ生きていることは、島での生活をひどく新鮮で純粋なものにする。「ここ」と「今」しかない時、子供、或《ある》いは聖者のような生き方をすることになり、毎日が、そして自分がすることの一つ一つが時間と空間に洗われた島であって、どれもが島も同様に、それだけで充足した性格を帯びる。そういう空気の中では、人間も島になって充足し、落着きを得て、他人の孤独を尊重してこれを犯そうとせず、別な一箇《こ》の個人という奇蹟《きせき》を前にして自然に一歩後へ足を引く。「人間は島ではない」とジョン・ダンは言ったが、私は我々人間が皆島であって、ただそれが同じ一つの海の中にあるのだと思う。

我々は結局は、皆孤独なのである。そしてこの孤独という我々の基本的な状態は、我々がいやだからと言ってどうすることもできるものではない。リルケが言っている通り、それは「我々に取捨の自由が許されているものではなくて、我々は実際に、孤独なのである。我々は我々自身をごまかして、それがそうではないように振舞うことはできる。しかしそれだけであって、それよりも我々が孤独であることを自覚し、自覚しないまでも、そうであると仮定することから始めるほうがどんなにいいだろうか。勿論《もちろん》」と彼はこれに続けて言っている。「我々はそう思うだけで眩《めま》いがしてくる」

勿論、誰も自分が孤独であると考えたくはない。なんとでもしてそう考えることを避けようとするので、それは人に嫌《きら》われているとか、仲間外れにされているということと同じに思われる。孤独という言葉には、私たちがまだ若かった頃《ころ》の不安が付き纏《まと》っていて、舞踏会で他のもっと人気がある女の子たちは熱い掌をした相手の男たちと皆もう踊っているのに、自分は一人で壁添いの椅子《いす》に腰掛けていることになるのではないかというふうな心地がする。我々は今日、一人になることを恐れる余りに、決して一人になることがなくなっている。家族や、友達や、映画の助けが借りられない時でも、ラジオやテレビがあって、寂しいというのが悩みの種だった女も、今日ではもう一人にされる心配はない。家で仕事をしている時でも、流行歌手が脇《わき》にいて歌ってくれる。昔の女のように一人で空想に耽《ふけ》るほうが、まだしもこれよりは独創的なものを持っていた。それは少なくとも、自分でやらなければならないことで、そしてそれは自分の内的な生活を豊かにした。しかし今日では、私たちは私たちの孤独の世界に自分の夢の花を咲かせる代りに、そこを絶え間ない音楽やお喋《しゃべ》りで埋めて、そして我々はそれを聞いてさえもいない。それはただそこにあって、空間を満たしているだけなのである。この騒音が止《や》んでも、それに代って聞えてくる内的な音楽というものがなくて、私たちは今日、一人でいることをもう一度初めから覚え直さなければならないのである。

それを覚えるということは、——自分の家族や友達から離れて、一週間でも、一日でも、一時間でも一人でいる練習をするということは、今日では容易なことではない。私にとっては、別れる時が一番辛《つら》くて、別れている期間がどんなに短くても、それはどうしても苦痛を覚えさせずにはおかない。手や足を切断する手術のようなもので、私になくてはならない肢体《したい》が一つ切り取られるのに似た感じがする。しかしそれでもそれが終ってしまえば、一人でいるということがいかに貴重なものであるかということが解《わか》ってくる。手術の後で空虚になった部分に前よりも新鮮で充実した生命が戻ってきて、それは実際に腕を一本切り取られたようなものであり、その後でひとでも同様に、別な新しい腕が生える。失ったものは回復され、それまで他の人たちに自分の一部を取られていた時よりも、もっと健康な自分にさえなっている。

私はこれでまる一日と二晩、一人で暮したことになる。私は夜、浜辺に出て星の下で一人で寝転がっていた。一人で朝の食事を用意し、波止場の端で私が投げてやる餌《えさ》を鷗《かもめ》が拾っては舞い上がり、また水面を目掛けて飛んで来るのを一人で立って眺《なが》めていた。それから午前中は机に向って仕事をして、遅い昼飯を浜辺で一人で食べた。そしてそうやって私の同類から離れていると、私は他の動物にもっと親しみを感じることができるようだった。私の後の砂洲《さす》に巣を作っている臆病《おくびよう》ものの鷸《しぎ》や、濡《ぬ》れて光っている向うの波打際《なみうちぎわ》を恐れげもなく駈《か》け回っている千鳥や、私の頭の上をゆっくり羽ばたきながら飛んで行くペリカンや、背中を円めて不機嫌《ふきげん》そうに水平線を眺めている年取った鷗や、そういうものと、私は一種の繋がりがあるという気がして、その繋がりに喜びを覚えた。地上と、海と、空の美しさが私にとって前よりも意味があって、私はそれと一つになり、いわば宇宙の中に溶け込んで自分を見失い、それは寺院で大勢のものが讃美歌《さんびか》を歌うのを聞くのに似ていた。「神を讃《たた》えよ、海の魚の群、——空の鳥、——人間の子供たち、——神を讃えよ」

その通り、私は一人でいて私の同類にも前よりも親しみを持つことができた。なぜなら、我々を他の人間から切り離すのは地理的な意味での孤独ではなくて、精神的な孤独だからである。我々を我々が愛している人たちから遠ざけるのは無人島や、砂漠《さばく》ではない。それは我々の頭の中に拡がる砂漠、また心の中の荒地であって、そこを我々は行く所もなくてさ迷っている。自分が自分に対して他人であるならば、我々は他人に対しても他人であることになって、自分と接触がなければ、他人に近づくこともできない。私は大きな都会の中にいて、誰か友達と握手しながら、その間に荒野が横たわっているのを何度感じたことだろうか。私たちは二人とも、かつては私たちの生命を養っていてくれた泉を見失うか、或いはそれがいつの間にか涸《か》れてしまったのを発見して、そうして荒野の中をさ迷っているのだった。自分自身の心臓部と繋がっている時にだけ、我々は他人とも繋がりがあるのだということが、私には漸《よう》や《》く解ってきた。そして私にとっては、その心臓部、或いは内的な泉を再び見付けるのには一人になるのが一番いい。

私は波の音の律動や、背中や足の皮膚にじかに差す日光や、髪に掛る波の飛沫《しぶき》にさらされているのを快く感じながら、浜辺の端まで歩いて行った。そして千鳥のように、海に入ってまた出て来た。それから、びしょ濡れのまま、一人で過した一日の気持で満たされて、酔った感じで家に帰る。私は、まだ少しも欠けていない月や、縁まで一杯にされた茶碗《ちゃわん》と同じ具合に満たされている。聖書の詩編に出て来る、「私の杯は溢《あふ》れる」という言葉には特殊な意味があって、私は急に恐《こわ》くなり、自分を満たしているものがこぼれないためにも、誰も来ないように、と祈る。

それが女というものなのだろうか。女はいつも自分をこぼしている。子供、男、また社会を養うものとして、女の本能の凡《すべ》てが女に、自分を与えることを強《し》いる。時間も、気力も、創造力も、女の場合は凡て機会さえあれば、一つでも洩《も》る箇所《かしょ》があれば、そういう方向に流れ去る。私たちは必要がある時に、それも直《す》ぐに、与えることを、伝統的に教えられ、本能的に望んでもいる。女は喉《のど》を乾かしているもののために絶えず自分というものを幾らかずつこぼしていて、縁まで一杯に満たされるだけの時間も、余裕も与えられることが殆《ほとん》どない。

しかしそれでいいのではないかとも一応は考えられる。与えるというのが女の役目なのであるから、女が自分というものをこぼすのがなんで悪いだろうか。しかしそれならばなぜ、私は浜辺で完璧《かんぺき》な一日を過した後に、私が手に入れた宝をなくすのをこれほど恐れているのだろうか。それは単に私に芸術家の素質があるからだけではない。芸術家は勿論、自分を小出しに人に与えることを好まない。自分が一杯になるまで待つことが芸術家には必要だからである。しかしそれだけではなくて、私が思い掛けなくこういう気を起すのは、私が女だからでもある。

これは矛盾していると言わなければならない。女は本能的に自分というものを与えることを望んでいて、同時に、自分を小刻みに人に与えることを喜ばない。これは一つの対立なのだろうか。それとも、もっとこれはいろいろな要素が含まれている複雑な問題の一端に過ぎないのだろうか。私の考えでは、女は自分を小出しに与えるということよりも、無意味に与えるのを嫌うのである。私たちが恐れるのは、私たちの気力が幾つかの隙間《すきま》から洩れて行くということではなくて、それがただ洩れてなくなるのではないかということなのである。私たちが自分というものを与えた結果は、男がその仕事の世界で同じことをした場合のようにはっきりした形を取らない。一家の主婦がやる仕事は、雇い主に給料を上げてもらうということもなければ、人に褒《ほ》められて私たちが及第したことが解るということも殆どない。子供というものを除けば、殊《こと》に今日では、女の仕事は多くの場合、眼に見えないのである。私たちは家事と、家庭生活と、社交に属する無数の内容を異にした事柄《ことがら》を一つの全体に組合せるのを仕事にしている。それは眼に見えない糸を使って綾《あや》取《と》りをやっているようなもので、この家事や、お使いや、お付き合いの断片が混ぜこぜになっているのを指して、どうしてそれを一つの創造と呼ぶことができるだろうか。その多くは機械的に行われるもので、それに何か意味があると思うことさえ難しい。それで女は、自分が電話の交換台か、電気洗濯機《せんたくき》のような気がしてくる。

与えるのに意味があれば、それほど自分が減らされるということがない。与えるということの自然な形式がそれなので、そうして与えることで減らされた分が新たに加えられるようなのである。与えれば与えるほど、更に与えるものが湧《わ》き上がってきて、丁度それは母親の乳と同じことなのである。そして建国当時のアメリカや、また最近では戦時中のヨーロッパでは、女が与えるということは難しくはあっても、意味があり、またなくてはならないものだった。しかし生活が比較的に楽になった今日、多くの女は生きるための原始的な競争という点でも、また家庭生活の中心としても、自分がそれほどなくてはならないものとは感じなくなった。そしてそれがないために、私たちは飢えていて、何に飢えているのか解らないから、その空白をいつも手が届く所にあるいろいろな気を紛らす手段、——しなくてもいい仕事や、押し付けられた義務や、社交上の瑣事《さじ》で埋めようとしている。しかしそれは大概は役に立たなくて、そのうちに私たちは泉が涸れてしまったことに気付く。

飢えは勿論、自分がなくてはならない存在だということを感じるだけで凌《しの》げるものではない。与えることに意味があっても、与えただけのものを補う源泉が何かなくてはならなくて、乳がいつも出るためには栄養を取らなければならない。与えるのが女の役目であるならば、同時に、女は満たされることが必要である。しかしそれには、どうすればいいのか。

一人になること、とつめた貝が答える。誰でも、そして殊に女は、一年の或《あ》る部分、また毎週、及び毎日の一部を一人で過すべきである。そう言うと、これはなんと大変なことに聞えることだろう。多くの女にとっては、これは到底望めないことであって、一人で休暇を取るだけの余分の収入もなければ、一週間を家事に追い回されて過して、一日休む暇もない。そして一日、料理や、掃除や、洗濯をした後では、一時間を創造的な孤独のうちに過す気力さえも残っていないのである。

しかしこれは単にそういう経済的な問題なのだろうか。私はそうは思わない。有給の労働者はいかに薄給でも、一年に一度の休暇と、毎週一回の休みを与えられている。従って主婦だけが定期的な休暇がない労働者であるということになって、これが一つのそういう大きな階級をなしている。そして主婦がそのことで不平を言うことさえも余りなくて、自分一人になる時間というものを、それほどなくてはならないものと思っていないらしいのである。

ここに、この問題に対する一つの鍵《かぎ》がある。もし女が一週に一度の休日、或いは一日に一時間、一人でいる暇というものを決して過分ではない要求と考えるならば、それを実現する手段は必ず見付かるに違いない。しかし現在のところは、女のほうで自分がそういうことを望む根拠が余りにも薄弱なのを感じて、それを要求することが殆どないのである。そしてそのように、この問題が単に経済的な性質のものでないことは、一人になるための経済的な余裕、或いは時間と気力が実際にある女が、それをそういう目的に決して使ってはいないのを見ても解る。外的な圧力というものは勿論あって、それがこのことを一層、面倒にしているが、これはそれよりも寧《むし》ろ内的な信念の問題なのである。孤独の探求ということに関する限り、我々は湿度が高い八月の午後も同様に鬱陶《うっとう》しい、否定的な空気を呼吸している。今日の世界は男に対しても、女に対しても、一人になることの必要を認めないのである。

これは考えてみれば、不思議なことである。それ以上のどんなことも、これよりはいい口実に考えられていて、用事で人に会うとか、パーマネントを掛けに行くとか、お呼ばれとか、買いものとか言えば、相手は納得するが、もしその時間は自分が一人でいることにしているからという理由で相手の申し出を断われば、そういう人間は礼儀を知らないか、我がままか、変っているということになる。しかしそういうふうに、一人になることが何かいけないことになっていて、そのためにお詫《わ》びをしたり、口実を設けたりして、自分がしていることが恥ずかしいことででもあるようにそれを隠さなければならない我々の文明というのは、なんと奇妙なものではないだろうか。

我々が一人でいる時というのは、我々の一生のうちで極めて重要な役割を果すものなのである。或る種の力は、我々が一人でいる時だけにしか湧いて来ないものであって、芸術家は創造するために、文筆家は考えを練るために、音楽家は作曲するために、そして聖者は祈るために一人にならなければならない。しかし女にとっては、自分というものの本質を再び見出《みいだ》すために一人になる必要があるので、その時に見出した自分というものが、女のいろいろな複雑な人間的な関係の、なくてはならない中心になるのである。女は、チャールス・モーガンが言う、「回転している車の軸が不動であるのと同様に、精神と肉体の活動のうちに不動である魂の静寂」を得なければならない。

この美しい影像は、女がいつも胸に描いていていいものであると思う。そしてこの目的、――というのは、他人との交渉やいろいろな義務や活動が車になって回転している中心の、不動の軸であることに向って私たちが努力してはどうだろうか。しかし一人になるというだけでは、これを実現することはできなくて、それは実現への一歩、つまり、世界で女が進歩する前に女のために要求された「自分一人の部屋」のような、一つの機械的な手段に過ぎない。自分一人の部屋を手に入れ、また、一人でいる時間を作るのは必要であると同時に困難なことでもあるが、それが凡てではなくて、それよりも問題は、どうすれば活動している最中でも魂の静寂を得られるかということなのである。つまり、どうすれば自分の魂にその糧《かて》を与えられるかということなのである。

なぜなら、涸れつつあるのは女の精神であり、機械的な手段のほうは決して不足していないからであって、そういう手段の点では、女はこの何十年かの間に多くのものを獲得した。少なくとも、アメリカでは、婦人運動その他の功績で、女の生活は昔よりも楽で自由で、いろいろなことをする機会に恵まれたものになった。自分一人の部屋や、一人でいる時間は、かつてないほど多くの女にとって前のように無理な注文ではなくなった。しかしこういう貴重な成果はまだ不十分であって、それは女のほうがそれをどういうふうに利用したらいいか解らずにいるからである。婦人運動に参加した人たちはそのように遠い将来のことまでは考えていなかったのであって、彼らは、いかに生きるべきかということに就いては教えなかった。彼らとしては、女のために現在女に与えられている特典を要求すればよかったので、凡ての先駆的な運動ではそうである通り、獲得したものの使い方は、後から来るものの課題に残された。そして女は今日、まだその使用法を求めている。私たちは飢えを感じてはいるが、何がそれを満たすかは、今日の私たちにも解らない。私たちは自由な時間を得て、それで私たちの泉に水を張らせる代りに、寧ろ泉を涸《みなぎ》らしてしまうことのほうが多い。私たちは桶《おけ》一杯の水で庭の植木に水をやるのではなくて、野原一つに水を撒《ま》こうと考え、委員会や各種の運動に訳もなしに飛び込んで行く。私たちにどうすれば精神に糧を与えることができるか知らなくて、その要求を紛らせることしかせず、車の軸を安定させる代りに、私たちの生活に更に多くの遠心的な活動を加えて、それが私たちに体の平均を失わせる。

機械的な意味では、私たちはこの何十年間かに多くのものを獲得したが、精神的には、却《かえ》って失ったもののほうが多いと私は思う。昔は、女がそれを知っていたかどうかは別として、女の生活に一つの中心を与えるのにもっと多くの力が働いていて、女が意識しているといないとに拘《かかわ》らず、女の糧になるものを供給するもっと多くの源泉があった。女が家の中に閉じ籠《こ》められているということ自体が、女が一人でいられる時間を作った。女の仕事の多くは、静かに自分というものを眺《なが》めてこれを知るのに適した性質のもので、昔の女は今日の女よりももっと多くの創造的な仕事を持っていた。料理とか、裁縫というようなものさえも、自分というものの糧になる創造的な仕事に属していて、パンを焼いたり、布を織ったり、漬《つ》けものを作ったり、子供を教えたり、歌を歌ってやったりするのは、今日の女が自動車を運転したり、百貨店に買いものに行ったり、各種の機械的な手段で家の仕事をしたりするのよりも、遥《はる》かに多くのものを女に与えたに違いない。家事というものの芸術と技術は衰えて、方々で反対のことが広告されているにも拘らず、仕事の中で昔から無意味だった部分は今日でも残っている。生活の他の面でと同様に、家事でも、頭と手の間に機械的な手段の幕が降ろされたのである。

教会も、昔から女に一つの中心を与える大きな力の一つだった。女はなんと長い間、誰にも邪魔をされずに自分を知る静かな時間を教会で過して生きてきたことだろう。教会にとっても、それを支える最も大きな力が女だったのは不思議ではない。女は教会に行けば、自分一人の部屋も、一人でいる時間も、静寂も、平和も、凡てあって、その上にこれは家族と社会が是認していることだった。教会の中では、誰も、お母さんとか、妻とか、奥様とか言って邪魔をしに来るものはなかった。そしてそれよりも、そこでは女は無数の役割にちぎられずに、自分であることができた。女は教会での礼拝で祈りと交感のうちに、完全に自分を捧《ささ》げて、そして受入れられ、それによって女は更生し、泉には再び水が湧いてきた。

教会は今日でも、男にも女にも自分というものを見出させる大きな力であって、前にも増して必要であり、――それは教会の信徒が殖《ふ》える一方であることからも解《わか》る。しかし教会に行くものは今日、昔のように自分を捧げ、またその自分を教会から受取っているだろうか。我々の日常生活は静かにものを考えることに適していなくて、一週間のうちに一時間を教会で過すのは助けにはなっても、それで毎日の騒々しい活動の埋め合せができるだろうか。もし私たちが家でもそういう静かな一時間を過すことにすれば、教会でももっと容易に自分を捧げて、そしてもっと深く更生することになりはしないだろうか。なぜなら、更生する必要は今日でも、少しもなくなりはしないからであって、自分全体が受入れられ、幾つかの役割の集まりではなしに、一箇の個人として扱われること、自分を完全に、そして無意味にではなく与えることを望む気持は私たちにいつもあり、それが私たちを更に多くの気散じの手段、或《ある》いはかりそめの恋愛、或いはまた、病院や医者の診察室に追い込む原因の一部にもなっているのである。

その対策は、昔に戻って、女を再び家庭に閉じ籠め、箒《ほうき》と針を持たせることではない。機械的な手段があって、私たちがそういうことをする手間を省いている。しかしそれで節約された時間と気力を持て余して、もっと多くの無意味な仕事や、生活をするのを簡単にするはずで、却って煩《わずら》わしくする器具を集めることや、私たちが使うのにも、味うのにも暇がないものを手に入れること、要するに、空白を更に多くの気散じの手段で埋めようとすることにその時間や気力を浪費するのも、問題に対する答ではない。

別な言葉で言えば、私たちを幾つかに分割する効果しかない遠心的な活動を幾ら求めても、何にもならないのである。女の生活は今日、ウィリアム・ジェームスがドイツ語のツェリッセンハイト、ずたずたに裂かれた状態、という言葉で言い表わしたものに次第に近づいて行く。女はいつまでもこの状態に置かれていることはできなくて、そのままでいれば、木《こ》っ端微塵《ぱみじん》にされる他ない。女はそれとは反対に、一人で静かに時間を過すとか、ゆっくりものを考えるとか、お祈りとか、音楽とか、その他、読書でも、勉強でも、仕事でも、自分を内部に向わせて、今日の世界に働いている各種の遠心的な力に抵抗するものを求めなければならない。それは体を使ってすることでも、知的なことでも、芸術的なことでも、自分に創造的な生き方をさせるものなら何でも構わないのである。それは大規模な仕事や計画でなくてもいいが、自分でやるものでなくてはならなくて、朝、花瓶《かびん》一つに花を活《い》けるのは、詩を一つ書いたり、一度だけでもお祈りするのと同様に、忙しい一日の間、或る静かな気持を失わずにいる結果になることもある。要するに、少しでも自分の内部に注意を向ける時間があることが大切なのである。

つめた貝は我々に孤独ということを教え、中心に向え、と清教徒の聖者たちは言い、自分を見失わずにいることが内部への道である、とプロティノスは説き、シエナの聖カテリナによれば、巡礼は自覚の独房で生れ変らなければならない。これは昔の人たちの声で、そしてこういうことは凡《すべ》て昔の美徳、また昔の人たちがしたことである。しかし今日ではそれを意識的に行うのだという点が、昔とは違っている。昔のように、時代の流れに従って、誰でもがやっているからやるのではなくて、実際は殆《ほとん》ども誰もそういうことをするものはない。それをやるというのは、或る意味では一つの革命でさえあって、それは今日の思想や傾向の凡てがこの新しい、内的な生活の仕方とは反対だからである。

女が、この我々の内部に力を求めるということの先駆をなさなければならない。女はいつもその先駆をしてきたとも言えるので、二、三十年前までは外的な活動に加わるのが難しかったために、そういう生活上の制約自体が女に注意を内部に向けさせた。そしてそうすることによって、男がその外的な活動に捧げられた生活では容易に求めることができなかった内的な力を女は得た。しかし私たちは最近になって女というものを解放し、女が男と同等であることを示そうと努力するうちに、これは無理もないことかも知れないが、男と外的な活動の面で競争することで私たちの内的な力の源泉を放《ほう》っておく結果になった。しかしこの女の力の源泉は時間を越えたものであって、それをなぜ、私たちは男の一時的でしかない外的な力と取換える気になったのだろうか。男の外的な力も人間になくてはならないものであるが、その男の世界にも純粋に外的な力や、問題の解決の仕方は今日では用をなさなくなりつつある。男も、眼《め》を内部に向けて、問題の外的な形式にある解決のみならず、内的な解決を求めずにはいられなくなっているのであり、或いはこの変化は、現代の外向的で行動的な、唯物論《ゆいぶつろん》的な欧米の男が成熟の新たな段階に達したことを示すものであるかも知れない。男も、神の国が人間の心の中にあることを覚《さと》り始めたのだろうか。

アメリカではつめた貝のことを月の貝と言うが、誰がこの貝にそういう名を付けたのだろうか。誰か、直覚力が発達した女ではないかと私は思う。そして私はこの貝に、島の貝という別な名前を付けたい。私はここの島にいつまでもいる訳にはいかないが、この貝を持って帰って、コネティカットの私の部屋にある机の上に置くことはできる。そこで貝はそのただ一つの眼で私を見詰めるだろう。そしてその滑らかな表面に描かれた幾つかの輪が小さな核心に次第に近づいて行くことから、私が何週間かを過したこの島のことを思い出させてくれるに違いない。そして私に、孤独ということを言って、私が私の核心、また島である性格を失わずにいるためには、一週間でも、二、三日でも、一年のうちに一度は、また一日のうちに一時間でも、五、六分でも、一度は自分一人でいるようにしなければならないことを絶えず注意してくれるだろう。そしてその島である性格を持ち続けなければ、私は私の夫にも、子供にも、友達にも、また世間一般にも、多くのものを与えることはできないことを改めて思い出させてくれるだろう。女はその生活をなしているいろいろな活動の中心にあって、車の軸のように静かでなければならないのであり、自分が救われるためだけでなしに、家庭生活、また社会、そして或いは我々の文明さえもが救われるためにも、この静寂を得るのに掛けて先駆をなさなければならないのである。

日の出貝

Ⅳ

この貝は自分で見付けたのではなくて、人から貰《もら》ったのである。友達がくれたので、この島で日の出貝、殊《こと》にこんなに完全に保存されたのは珍しい。この、さわるだけで壊れそうな貝の両面は正確に対《つい》をなしていて、丁度、蝶《ちょう》の羽のように、両方とも模様が同じであり、二つを合せている金色の紐帯《じゅうたい》から白い半透明の表面に、いずれも三本の薄紅の線が延びている。だから、私は二つの日の出を手に持っている訳で、それにしても、この華奢《きゃしゃ》な貝殻《かいがら》がどうして少しも傷つかずに浜辺の波を潜《くぐ》ることができたのだろう。

珍しいもので、それを私にいきなりくれた人がいるのである。この島に住んでいる人たちは皆そうで、浜辺で会った知らない人が笑顔になり、近寄って来て、何の理由もなしに貝をくれると、また向うに行ってしまう。その代りにどうしてくれということはなくて、何かの挨拶《あいさつ》が期待されているのでもなければ、それで近づきになる訳でもない。貝はただくれたので、それはこっちはただ貰い、互いに相手を信用しきっているのである。ここでは、人が子供と同じように、誰かに出会うと笑顔になり、それに対してこっちも笑顔になって返すものと決めていて、いやな顔をされるなどということは全然考えない。そしてこっちも、それがただそれだけのことであるのが解《わか》っているから、実際に笑顔になる。その笑顔になるという行為、またそれによって生じる親しみは、純粋にその時の現在に属するもので、「ここ」と「今」の一点に掛り、それは一羽の鷗《かもめ》のように宙に浮いて平均を保っている。

こういう純粋な交渉というものはなんと美しいものだろう。そしてそれはなんと容易に傷つき、また、無駄《むだ》なもの、——或《あ》いは、無駄なものでなくても、人生そのものと、人生や時間の経過が堆積《たいせき》するものに直《す》ぐに押潰《おしつぶ》されることだろう。というのは、凡《すべ》て人間と人間の関係は、それが友達、或いは恋人同士、或いは夫婦、或いは親子の関係、或いはその他何であっても、初めのうちは純粋で、簡単であり、重荷になるものなどはない。それは芸術家が制作に取掛って一つの形式を与えることになる前の、まだ彼の頭に浮んだままの影像、或いは、成熟して、そのために重い責任を負うことにもなる前の恋愛の萌《きざ》しに似ている。どんな関係でも、初めのうちは簡単なものに思われて、初恋とか、友情の始まりとか、二人の人間の気持がそういうふうに最初に近寄り出した時は、――それが仮にどこかに呼ばれて、食卓を距《へだ》てて夢中で話をするだけのことであっても、――ただそれだけで一つの完全な世界ができ上がっているような気がする。二人の人間が互いに相手の声に耳を傾け、貝の両面が合さって、一つの世界を作る。この瞬間の完璧《かんぺき》な融合に、他の人間や、事情や、関心は何一つ入って来ない。それはまだいろいろな縁とか、義理とかに束縛されず、責任も感じられなければ、未来のことに対する心配や、過去のことに対する義務も伴っていない。

しかしこの完璧な融合はなんと早く、そしてまた誰にも避けられない形で犯されることだろう。相手と初めのうち結ばれていた関係は変って、世間との接触でもっと複雑な、もっと厄介《やっかい》なものになる。これは友達でも、夫婦でも、或いは親子の関係でも、皆そうだと思うが、この変化が一番感じられるのは夫婦の場合で、それは夫婦の関係が最も基本的な性質のものであり、また一番保ち難《にく》くて、またどういう訳か、我々がそれを初めのうちと同じ形で続けて行くことができないのは悲劇だという、間違った考えを持っているからである。

確かに、この二人が結ばれた当時の関係というのは美しいものである。それはそれだけで充足したものであって、春になった頃《ころ》の朝の感じがあり、我々はやがては夏が来るのを忘れて、二人の人間が過去にも未来にも煩《わずら》わされずに、個人と個人として向き合うこの愛の早春をいつまでも続かせたいと思う。どんな変化も、それが人生と人生の進展の一部をなしている自然なものであることが解っていても、不愉快に感じられるのであるが、肉欲と同じことであって、人と人との関係も、初めの歓喜の状態が同じ烈《はげ》しさをいつまでも失わずにいるということはあり得ない。それは成長して別な段階に入り、我々はそれを恐れずに、春の次に夏が来たのを喜んで迎えるべきである。しかしその頃には同時に、当を得ていないものの評価の仕方や、習慣や、負担が堆積して我々を押潰そうとし、人生でも、人と人との関係でも、我々はこの無意味な皮を絶えず剝《は》ぎ取るように注意しなければならない。

男も、女も、生きて行くうちに生活が次第に複雑になるに従って、相手との関係が初めの頃とは違ったのを感じ、もとの形に戻れないのはどうしたことかと思う。それは二人で生活しているうちに、いずれも、少なくとも或《あ》る程度までは、銘々に与えられた役割に従わずにはいられなくなるからで、男にとってはそれは世間での仕事であり、女にとっては、家族や家事に関する伝統的な義務である。いずれの場合も、もとの全く個人的に充足した関係の代りに、もっと銘々の役割に即した関係が生じる結果になる。しかし女は子供が新たに一人生れる毎《ごと》に、少なくとも他のことを何も考えずにいられるという意味では、初めのうちの純粋な関係に幾らか似た気持を取戻すことができて、子供が生れてからの何日かの安静を旨《むね》とする生活では、子供を抱いている母親の額には青空が映り、二人のものがただお互いのためにだけ生きているという、魔法の輪に閉ざされているような感じが甦《よみがえ》る。しかしこれは僅《わず》かな間のことであって、もとのもっと充実した関係の代用にはならない。

しかし男も、女も、銘々がその役割を演じなければならない各自の世界に引入れられて、もとのようではなくなったのを寂しく思っても、銘々にとって必要なものには非常な違いがある。男は男の世界で、女ほどは他の人間と結ばれる機会に恵まれていなくても、自分の仕事の面でもっと創造的に自分を与えることができるということがある。これに対して女は、人と結ばれる機会は男よりもあるが、それは女に何かを創造する意味での自分というもの、何か言ったり、与えたりするものがある一箇《こ》の個人としての自分というものの感じを与えることがない。そしてこのように、銘々が違った理由から何ものかに飢えていて、相手が必要とするものに就いて誤解していれば、次第に離れて行ったり、新たに恋愛したりすることも避け難くなる。またこの場合、それを相手のせいにして、別なもっと理解がある相手が見付かれば凡ては解決するという、安易な考え方に傾かずにいることも難しい。

しかしながらそれで、まだ初期の段階にあるので面倒なことは何もないような気がする別な人間との交渉に、新たに糧《かて》を求める気になっても、その結果は男にとっても、女にとっても疑わしい。そういう恋愛は本当に自分が自分である感じを取戻させてはくれなくて、確かに、自分が幾つかの役割の集まりではなしに、自分であることのために愛されれば、自分を再び見出《みいだ》すことができるというふうにも思えるが、他人の中に自分を見出すということが実際にあり得るだろうか。他人の愛、或いは他人が差出してくれる鏡の中にさえも、自分というものがあるだろうか。私はエックハルトがかつて言ったように、本当の自分というものは、「自分自身の領分で自分を知ること」によってしか得られないのだと思う。それは内部から湧《わ》き上がる創造的な活動の中に、そしてまた、逆説的に、自分というものを失うことで得られるものなのである。キリストの言葉通り、生命を得るのには、先《ま》ずこれを失わなければならない。女は何か創造的な活動を始めて自分を忘れることで、一番確実に自分を再び見出すことになる。そうすることで女は再び力を得て、問題の後の半分、というのは、相手とのもとの純粋な関係を取戻すことに就いて対策を立てるのには、力が必要である。自分というものを再び見出したものでなければ、人との関係をもとに戻すことはできない。

しかし日の出貝に似た純粋な関係が一度失われた後に、もう一度、実現できるものだろうか。そういう関係の中でも或る種のものが、その時だけで終ることは明らかである。それは、満たされなければならない双方の要求の性質が違うというだけのことではなくて、二人が違った方向に、或いは違った速度で成長するという場合もあることを考えなければならない。極く短い期間にわたる日の出貝の関係が、二人の間で実現できる凡てだったかも知れないので、それならばそれは、そのこと自体が一つの目的だったのであり、もっと深い関係の基礎になる性質のものではなかったのである。しかしそれ自体が成長して行く関係では、そのもとの姿は失われるのではなくて、ただ生活上の夾雑物《きようざつぶつ》の下に埋められているに過ぎない。その本質はまだそこにあって、ただそれを蔽《おお》っているものを取除《とりの》けさえすればいいのである。

日の出貝の関係をもう一度呼び戻す一つの方法は、それと同じ状況を再現することである。夫も、妻も、ときには一人でどこか旅行に出掛ける機会を作るべきであるとともに、二人だけでそうするのもいいことであって、もし女が一人で出掛けて自分というものを見出すことができるならば、夫と二人だけで出掛けてもとの関係を取戻すということも十分に考えられる。夫婦ならば、大概のものはそういう休暇の楽しさというものを味ったことがあるはずである。子供や、家や、勤めその他、日常生活の束縛を凡て後にして、一カ月でも、或いは週末の二日でも、或いはどこかの宿屋での一晩でさえも二人だけで過すというのは、なんといいものだろう。そういう時、日の出貝の奇蹟《きせき》が再び二人の間で起る。自分が恋愛した男と二人だけで朝の食事をするのも、思い掛けない喜びを覚えさせてくれる。二人だけで小さな卓子《テーブル》を距てて向き合っていて、それが家では、なんと大勢のものが食卓を囲むことになったことだろう。そして子供が四人も、五人もいて、電話は掛って来るし、夫の通勤列車の他に、子供たちを学校に運ぶ幾つかの違ったスクール・バスの時間も考えなければならないというのは、なんと頭を混乱させるものだろう。そういうことは凡て自分と夫を離すもので、純粋な関係を保っていく上で邪魔になる。しかし小さな卓子越しに二人だけで向い合っていれば、二人の間にはコーヒー注《つ》ぎと、玉蜀黍《とうもろこし》のマフィンと、マーマレードしかない。こうして、夫と二人だけで朝の食事をするというのは大した贅沢《ぜいたく》ではないが、結婚して忙しい生活をしていれば、これも始終はできないことである。

そして私はこの、一時的に昔の純粋な関係に戻るということが、自分の子供との場合にも当て嵌《は》まると思う。私は日の出貝を掌《てのひら》に載せて眺《なが》めながら、一日、或いは一月、或いは一年のうちの一部を私の子供たちの一人々々と二人だけで過せたら、と考える。そうすれば、子供たちももっと幸福で、丈夫になり、そして安心するから、結局はもっとしっかりしてくるのではないだろうか。子供は皆、自分がまだ赤んぼで、子供部屋で母親と二人きりで母親の乳を飲んでいた時代の、母親との関係に内心では戻りたがっているのではないだろうか。そしてもし私たちがこの考えを実行して、子供の一人々々ともっと多くの時間を過すようにしたら、子供はより多くの安心感と力を得るだけでなくて、大人になってからの人間的な関係に就いて重要な予備知識を与えられるのではないだろうか。

我々は皆、自分一人だけ愛されたい。「林檎《りんご》の木の下で、私の他の誰とも一緒に坐《すわ》っちゃいや」という古い歌の文句の通りである。そしてこれは、W・H・オーデンが言っているように、人間というものが持っている一つの根本的な欠陥なのかも知れない。

どの女も、男も、
持って生れた迷いから、
適《かな》えられないことに心を焦《こ》がし、
普遍的な愛だけではなくて、
自分だけが愛されることを望む。

しかしこれは、それほど罪なことだろうか。私はこの句に就いて或るインド人の哲学者と話をしていて、非常にいいことを聞いた。「自分だけが愛されることを望むのは構わないのですよ」とその哲学者は言った。「二人のものが愛し合うというのが愛の本質で、その中に他のものが入って来る余地はないのですから。ただ、それが間違っているのは時間的な立場から見た場合で、いつまでも自分だけが愛されることを望んではならないのです」というのは、我々は「二つとないもの」、――二つとない恋愛や、相手や、母親や、安定に執着するのみならず、その「二つとないもの」が恒久的で、いつもそこにあることを望むのである。つまり、自分だけが愛されることの継続を望むことが、私には人間の「持って生れた迷い」に思える。なぜなら、或る友達が私と同じような話をしていた時に言った通り、「二つとないものなどはなくて、二つとない瞬間があるだけ」なのである。

二つとない瞬間は確かにある。そして一時的にもせよ、そういう瞬間を取戻すことも決して間違ってはいない。マフィンとマーマレードが出ている卓子で向い合うのも、子供に乳をやるのも、もっと後になって、子供と浜辺で駈《か》けっこをするのも、一緒に貝殻を探すのも、栗《くり》の実を磨《みが》くのも、大事にしているものを分け合うのも、――そういう二人だけの瞬間には凡て意味があって、ただそれが恒久的なものではないだけなのである。

そのうちに、恒久的に純粋な関係というものはなくて、またあってはならないということも解ってくる。そういう関係は時間的にも、空間的にも限られたものであって、その本質からして排他的なのである。それはそれ以外の生活や、他の人間的な関係や、我々の性格の別な面や、他の責任や、将来起り得る他の可能性を無視し、そしてそれは成長を無視する。子供部屋の締っている戸の外では、他の子供たちが呼んでいて、その子供たちも愛さずにはいられない。電話が鳴って、友達とも話がしたい。朝の食事がすんだ後は、その次の食事、或いはその翌日のことを考えなければならない。そういうことも現実であって、これに眼《め》をつぶる訳にはいかず、生活は続けられなければならない。しかしそれは、短い期間に二人だけでいる経験を繰返すのは時間の無駄《むだ》だということにはならなくて、その反対に、そういう瞬間は私たちを甦らせてくれる。小さな卓子越しに向き合ってする朝の食事はその日、またその後に来る多くの日々に光明を投げ掛ける。子供と浜辺で駈けっこをするのは、海に飛び込むのと同様に私たちを若返らせてくれる。ただ私たちはもう子供ではなくて、人生も浜辺とは違っている。こういうことは恒久的な復帰を許すものではなくて、私たちを立ち直らせてくれるだけである。

前にあった関係に恒久的に戻ることはできないという事実を、そしてもっと深い意味で、或る関係を同じ一つの形で保ってはいけないということを私たちは段々受入れるようになる。そしてそれは悲劇ではなくて、伸びて行く生命の絶え間がない奇蹟の一部なのである。凡て生きた関係は変化し、拡張しつつあって、常に新しい形を取っていかなければならない。そういう、絶えず変化する関係を表わすただ一つの固定した形というものはなくて、その各段階にそれぞれの形があるのかも知れず、それならば結婚生活の、或いはその他どんな関係でもの、違った段階を示す幾つかの貝を机の上に並べて置いてもいい訳である。

最初に来るのはこの日の出貝である。結婚の最初の段階をこれで表わすのは間違っていないと私は思うので、二つの少しも欠けた所がない面がただ一つの紐帯《じゅうたい》で結ばれ、完全に一つに合さって、どっちの面にも暁の光が差している。それはそれだけで一つの世界を作っていて、これこそ詩人たちが昔から歌おうとしていたものではないだろうか。

私たち二人の目覚めた魂は、お早う。
私たちは互いに相手の顔色を窺《うかが》ったりしなくて、
それは愛が何を眺める時の心も支配し、

一つの小さな部屋を凡ての場所にするからだ。
探険家は新しい世界を発見し、
地図は多くの世界を示すがいい。
私たちはただ一つの世界を所有し、銘々が一つを持っていて、
そして二人は一つなのだ。

しかしジョン・ダンが歌っているのは「小さな部屋」で、それはやがては私たちには狭過ぎるようになり、そしてそれが少しも不幸なことではない、小さな世界なのである。日の出貝は美しくて、壊れ易《やす》い、はかないものである。しかしそれだから幻影ではないので、我々はそれがいつまでもあるものではないという理由から一足飛びに、それが幻影であるなどと思ってはならない。持続ということは、真偽の尺度にはならない。蜻蛉《かげろう》の一日や、天蚕蛾《てぐすが》の一夜は、その一生のうちで極めて短い間しか続かない状態だからと言って、決して無意味ではないのである。意味があるかないかということは、時間とか持続とかと関係はなくて、他の基準に従って判断されなければならない。それは或る時の、或る場所での現在の瞬間に属しているこ

とで、「現在あるものは、或る時の、或る場所での現在にしかない」のである。日の出貝には、凡て美しくてはかないものの永遠の価値がある。

牡蠣《かき》

V

しかし私たちは少なくとも結婚に関する限り、それが恒久的なものであることを望むのではないだろうか。一つの関係が持続するのが、結婚というものではないだろうか。それは勿論《もちろん》そうなのであるが、しかしそれが何もただ一つの形、或《あ》いは状態、例えば日の出貝の状態で続く必要はない。日の出貝の他にも、私の机の上に並べる貝がある。私が昨日拾ったのが一つあって、これは別に珍しいものではなくて浜辺に行けば沢山転がっているが、それでいて、二つと同じ形をしているものはない。それは牡蠣《かき》で、どれもがその生活を続けて行く必要から生じた独自の形をしている。私が拾って来たのには他の小さな貝殻《かいがら》が沢山付いていて、不格好にでこぼこしているのが、凡《すべ》て成長するものが取る形が不規則であることを思わせる。それは、家族が大勢いる家が必要に応じて段々建て増しをして、子供たちのために寝部屋を一つ殖《ふ》やしたり、その遊び場にヴェランダを作ったり、ガレージや自転車を置く小屋を足したりするのに似ている。私の現在の生活、また私でなくても、結婚して何年かたった多くの女がしている生活のようでもあって、見ていて可笑《おか》しくなる。いかにもごたごたしている感じであらぬ方向に拡《ひろ》がり、いろいろなものが付着していて、これは中が空になったのが波に打上げられたのであるが、生きている間は私たちの生活と同様に、岩にしっかり根を降ろしている。

牡蠣は確かに、結婚して何年かになる夫婦生活を表わすのに適した貝のようである。それは生きて行くための戦いそのものを思わせて、牡蠣は岩の上にその位置を占めるために奮闘し、その場所にしっくり嵌《は》まって、容易なことではそこから引離すことはできない。それと同様に多くの夫婦も、世間で自分たちの場所を確保するのに努力し、それは初めは、家庭を持ち、子供を育て、自分たちが住んでいる社会で足場を固めるのが目的の、肉体的な、また物質的な戦いであり、そういう生活をしている最中には、朝の食事で小さな卓子《テーブル》越しに二人で向き合う時間は余りない。そしてその時になって私たちはサン＝テグジュペリが、「愛というのは、互いに相手の顔を眺《なが》め合っていることなのではなくて（――これは一つの完璧《かんぺき》な日の出がもう一つの完璧な日の出を眺めることに相当する。――）、同じ方向に二人で一緒に眼《め》を向けることなのである」と言ったのが本当であることを理解する。妻も夫も、一緒に同じ方向を眺めているだけではなしに、外に向って一緒に働き掛けているのであり（牡蠣が岩の上に次第に繁殖していく有様を見るといい）、そうすることで他の人間との繋《つな》がりもできるし、また社会にしっかり根を降ろすことになって（牡蠣を岩から剝《は》がすのは大変な仕事である）、それで二人は本格的に人間の社会の一部をなすに至る。

この時代に、結婚の絆《きずな》も生じる。結婚の絆ということはよく言われるが、この段階に達してそれは多くの、性質も抵抗力も違った絆の集まりになって、容易なことでは破れない一つの網が作られる。それは愛でできているのであるが、ただ一種類の愛だけではなくて、最初の憧憬《どうけい》に満ちた愛、それから次第に生じた献身の情、そしてそのいずれもを絶えず支えているのが友愛である。この網はお互いに相手に対して忠実であることや、相手に依存していることや、共同の経験でき上がっている。それは廻《めぐ》り合いや、対立や、勝利や、失望の記憶で編んである。それは共通の言語、また、言語の不足を共通に受入れることからできている網でもあり、相手の好みや、癖や、ものごとに対する反応の仕方の知識もその中に入っている。それは本能や、直覚や、意識された、また、無意識の交流で作られているもので、こうしてこの網は毎日を一緒に過して同じ方向を眺め、その方向に一緒に仕事をすることからくる親しみから生じて、それは時間的にも、空間的にも、人生と同じ性質のものなのである。

しかし憧憬でもある初期の恋愛の絆は、これとは少し違っている。それは親しみとか、習慣とか、或いは時間や空間、或いは人生そのものとも関係がなくて、そういうもの凡てを虹《にじ》のように、或いはちらと見た眼差《まなざ》しのように一飛びに飛び越え、ただ一つの絆、また、紐帯《じゅうたい》であって、それが日の出貝を結び付けている。そしてもしこれが嵐《あらし》で切れたならば、もう日の出貝の両面を結んでいるものは何もなくなる。ところが、結婚が牡蠣の状態に達すると、この初期の愛は二人の人間が作り上げた複雑な、丈夫な網の材料になっている多くの絆のただ一つに過ぎなくなるのである。

私は牡蠣が好きである。牡蠣は不格好であり、灰色をしていて、決して美しいとは言えないが、牡蠣はその生活に適応するためにこういう形をしている。私はそのでこぼこした形を見て可笑しくなり、また牡蠣が背負っている殻の重さやいろいろな付着物を不愉快に思うこともある。しかしその適応性や根気強さには驚く他ないし、またどうかするとそのために涙ぐみさえする。そしてその見馴《みな》れた不格好な様子には、丁度、自分の手にしっくり嵌まるようになった古い庭仕事用の手袋に似た親しみがあって、一度手に取ると、直《す》ぐには置く気になれない。私はこの貝殻も、持って帰る積りでいる。

しかしこれは結婚を恒久的に象徴するものだろうか。日の出貝の場合もそうだが、この牡蠣の状態もいつまでも続いていいものだろうか。人生の潮《うしお》は引いて行き、方々に寝室や物置を建て増して膨れ上がった家は、次第に住人が減り始める。子供たちは学校生活に入り、それから結婚して自分で生活することになる。大概のものは、中年になる頃《ころ》までには社会で或《あ》る程度の地位を得るか、或いはそれを得ようとして努力するのを止《や》めるものである。そうすれば、生活とか、場所とか、他の人間とか、或いは環境とか、持ちものとかに対するあの恐しいぐらいの執着は、自分や自分の子供たちが無事に暮せるために努力していた時代ほどは必要でなくなるはずではないだろうか。成功、或いは失敗によって、それまで続けてきた烈《はげ》しい戦いが止んでも、貝がまだ岩にしがみ付いていなければならない訳はない。そういう訳で、中年の夫婦というものはどうかすると、もう役に立たなくなった要塞《ようさい》も同様の貝殻の中に置き去りにされた形になる。その場合、どうすればいいのだろうか。そのまま退化して行って死ぬ他ないのだろうか。それとも別な形の生活、別な種類の経験に向って進むべきだろうか。

或るものは、それがもとの自足した日の出貝の世界に戻る機会だと言うかも知れない。これでまた、マフィンとマーマレードが出ている朝の食卓で、二人だけになれるという訳である。しかし実際は、あの密閉された世界にもう一度戻って行くことはできない。あの端正な形をした貝に再び納まるのには、我々の方が余りに大きく、また多面的になり過ぎたのである。これは、どんな貝にも言えることかも知れない。

中年というのは、野心の貝殻や、各種の物質的な蓄積の貝殻や、自我の貝殻など、いろいろな貝殻を捨てる時期であるとも考えられる。この段階に達して、我々は浜辺での生活と同様に、我々の誇りや、見当違いの野心や、仮面や、甲冑《かっちゅう》を捨てることができるのではないだろうか。我々が甲冑を着けていたのは、競争相手が多い世の中で我々を守るためだったはずであり、競争するのを止めれば、甲冑も必要ではなくなる。それで我々は少なくとも中年になれば、本当に自分であることが許されるかも知れない。そしてそれはなんと大きな自由を我々に約束することだろう。

　確かに、我々が若かった頃の冒険をもう一度試みるのは大分、困難になっている。我々の多くにとって、中年になってからそれまでとは違った仕事を始めたり、新たに家庭を持ったりする訳にはいかない。各種の世俗的な野心を実現するのも、二十年前よりはもっと難しくなっている。しかしそれで却《かえ》って気が楽になるということもあるのではないだろうか。芸術家として認められた或る美しい女の人が或る時、私に、「もうニューポート一の美人と言われるのが苦にならなくなりました」と語ったことがある。そしてヴァージニア・ウルフの小説に登場する人物の中に私が好きなのが一人いて、その男は中年に達して告白する。「いろいろなものが私から落ちてなくなった。私がもう感じなくなった欲望もある。……私には一時思っていたほどは才能がないことが解《わか》った。或る種類の事柄《ことがら》は私の力に及ばなくて、哲学上の面倒な問題は私には解らず、ローマが私の旅行の限度になっている。……私はタヒチで現地の人々が燃えさかる松明《たいまつ》の明りで魚を槍《やり》で突いたり、獅子《しし》が密林の中で飛び掛って来たり、裸の男が生の肉を食べたりするのを決して見はしないだろう。……」（そしてその後で、有難いことに、とこの男が付け加えるのが聞えて来るような気がする）

人生の黎明《れいめい》や、四十、或いは五十前の壮年期に属する原始的で肉体的な、仕事本位の生き方はもう中年にはない。しかし人生の午後が始まるのはそれからで、我々はそれを今までのもの凄《すご》い速度でではなしに、それまでは考えてみる暇もなかった知的な、また、精神的な活動に時間を割いて過すことができる。我々アメリカ人は若さとか、行動とか、具体的な成功とかいうものに何よりも重点を置いていて、そのためにこの人生の午後を軽視し、そんな時期が来ることなどないと決めて掛りさえする傾向がある。我々は時計の針を押戻して、人生の朝を長引かせようとし、この不自然な努力に体力を使い果す。しかし勿論、それに成功する訳はないので、我々は我々の子供たちと競争することはできない。そしてそういう、活溌《かっぱつ》であり過ぎてまだ知恵が足りない大人たちと力比べをするのは、なんと辛《つら》いことだろう。我々は息を切らして、午後になるのを待たなければならない人生の開花を見逃す場合が多い。

なぜなら、中年というのは第二の開花、第二の成長、そして第二の青春でさえあるのではないだろうか。確かに世間一般の態度は、我々がこの人生の後半をそういう風に解釈するのを困難としている。そしてそれ故《ゆえ》にこの実際は拡張の時期であるべきものがよく当人にも悲劇的な具合に誤解されて、多くのものはこの四十から五十に掛けての時代を乗り越えることができずにいる。この時代の、私には青春期と非常に似ているように思われる成長の兆候、例えば、不満とか、焦躁《しょうそう》とか、疑惑とか、絶望とか、何ものかに対する憧《あこが》れとかは、そのために衰弱の印と間違えられる。若い時は、人間はこういう兆候を誤解しないで、それを正しく成長に伴う苦痛として受取り、真面目《まじめ》にその声に耳を傾け、それに導かれて進む。勿論、そうするのが不安でもあるが、純粋な空間というもの、——開かれた戸の息詰るような空《むな》しさを誰が恐れないだろうか。しかしその恐怖にも拘《かかわ》らず、戸の向うの部屋に入って行く。

しかし中年に達した時は、それが衰弱の時期だという間違った考えから、我々はそういう人生上の兆候を死が近づいて来る印のように解釈する。それを真面目に取上げる代りに頬被《ほおかぶ》りをするのであって、精神的な沈滞や、神経衰弱や、酒や、恋愛や、或いは度外れに烈しい仕事振りに逃げ道を求める。どんなことでも、中年の兆候に面と向って、それに教えられるよりはましなのである。こうして我々はそこまで我々が成長した印を消そうとし、それが悪魔ででもあるように追い払おうとして、それが実際は御告げの天使であるかも知れないことは考えない。

では、何を告げる天使だろうか。生きて行く上での或る新しい段階を、であって、それまでの活動的な生活に伴う苦労や、世俗的な野心や、物質上の邪魔の多くから解放されて、自分の今までの無視し続けた面を充実させる時が来たのである。それは自分の精神の、そしてまた心の、それからまた才能の成長ということにもなって、こうして我々は日の出貝の狭い世界から抜け出すことができる。日の出貝の世界は美しくはあっても、やはり限られた性質のものだったので、その中にいつまでも閉じ籠《こ》もっている訳にはいかなかった。そしてそのうちに、牡蠣の貝殻がいかにい心地がよくて、融通が利《き》いても、それさえも狭過ぎるようになる時期が来るかも知れない。

たこぶね

VI

浜辺で見られる世界の中に、稀《まれ》にしか出会わない、珍しいのがいて、たこぶねはその貝と少しも結び付いていない。貝は実際は、子供のための揺籃《ゆりかご》であって、母のたこぶねはこれを抱えて海の表面に浮び上がり、そこで卵が孵《かえ》って、子供たちは泳ぎ去り、母のたこぶねは貝を捨てて新しい生活を始める。私はこのたこぶねのそういう仮の住居を専門家の蒐集《しゅうしゅう》でしか見たことがないが、その生き方が提供する影像に非常な魅力を感じる。半透明で、ギリシャの柱のように美しい溝《みぞ》が幾筋か付いているこの白い貝は、昔の人たちが乗った舟も同様に軽くて、未知の海に向っていつでも出帆することができる。本に書いてあることによれば、この貝の名前（Argonauta）は黄金の羊毛を探しに行ったイアソンの船から取ったもので、船乗りにとってこの貝は晴天と順風の印になっている。

美しい貝で、それが呼び起す影像も美しい。私はその影像をそのままにして置くことができなくて、これは人間と人間の関係が次に達すべき段階の象徴だろうかと考える。我々は中年になって牡蠣《かき》の状態を脱した時、貝を離れて大海に向ったたこぶねの自由を期待していいのだろうか。しかし我々が大海で出会うものは何だろうか。人生の後半が我々に晴天と順風を約束するとは思えない。我々中年のものにとって、どんな黄金の羊毛があるのだろうか。

たこぶねの話になると、我々は普通の意味での貝の蒐集から離れることを認めなければならない。日の出貝とか、牡蠣とかならば、大概のものは知っている。我々は見れば、それが何であるか解《わか》るし、どういう貝であるかも知っていて、それは我々の日常生活の一部をなし、また我々以外の多くのものにとっても、その生活の一部になっている。しかしこのたこぶねという珍しい貝では、我々は既に試験ずみの事実や経験を離れて、想像力の世界に向けて船出することになる。

我々が来るのを待っている黄金の羊毛というのは、何か新たな成長を指すのだろうか。そしてそこには、人間と人間が結び付く余地があるのだろうか。私には牡蠣の状態を通った後で、そこには一番いい種類の結び付きが生じる機会があるように思われる。それは日の出貝の場合と違って、限られた、排他的な性質のものではないし、また牡蠣とも違って、仕事本位の、お互いに相手を頼りにし合っているものでもなくて、それは二人の成熟した人間の、そういう人間としての出会いなのである。スコットランドの哲学者、マックマレーの言葉を借りるならば、それは完全に個人的な関係、というのは、「人間が自分の全部で入って行く種類の関係なのである」「こういう個人的な関係は」と彼は更に説明している。「……それ以外に何の目的もなくて、特定の利害関係に基づいてもいなければ、一部的な、限られた理由から結ばれるのでもなくて、その価値は全くそれ自体だけにあり、それ故《ゆえ》に他の凡《すべ》ての価値を超越する。そしてそれは、それが人間と人間の、人間としての関係だからなのである」この「人間と人間の、人間としての関係」は、今から五十年近く前にドイツの詩人、リルケによって予言的に暗示された。彼は男と女の関係に非常に大きな変化が起るのを予見して、将来はそれが今までのような服従と支配、或《あ》るいは所有と競争の伝統的な型に属するものではなくなることを望み、各自が成長する余地も自由もあり、そしてお互いに相手の解放の手段になるという、そういう状態を描いて見せた。「それは一人の人間と別な一人の人間の関係でなければならない」と彼は結論している。「……そしてこのもっと人間的な愛は（それは結び付けるのにも、放すのにも、無限に思いやりがあって優しくて、明確であることで実現されるものなのであるが）、我々が今苦労して用意しているもの、というのは、二つの孤独が互いに相手を保護し合い、相手に触れ、相手に敬意を表する愛に似ることになるのである」

しかしこの新しい人間と人間の関係、このもっと人間的な愛、またこの、二つの孤独が触れ合うという観念は、決して簡単に自分のものにすることができるものではない。それは凡てしっかり根を降ろした成長と同様に、徐々に育つ他ないのであって、それは或いは人間の文明の歴史、また、個人的には各自の生涯《しょうがい》で長い時間を掛けて発達を遂げることによってしか得られないものなのである。人間の生活でのそういう段階は、私には偶然にではなしに、或《あ》る成熟の過程の一部として、自分と相手の両方に或る重要な変化が起った後に初めて達せられるもののように思われる。

それはまた女が、──個人的にも、また女全体としても、──大人にならなければ実現できないことであって、この女の成熟ということが今日既に始まっている。しかしそのために女は自分一人で努力しなければならないのであって、他人がいかに熱心にその手伝いをしたがっても、他人の助けを借りる訳にはいかないのである。今日では、この新しい女というものに多大の関心が寄せられていて、それは主に雌の動物としての女の機械論的な研究の形を取っている。そして勿論《もちろん》、女にとって自分の性的な欲求や習慣を理解してこれを受入れることは必要でもあり、助けにもなるが、これは一つの非常に複雑な問題の一面に過ぎない。女の肉体的な反応に関する統計が集められても、それは女の内的な生活、また、自分というものとの基本的な関係、それから今日に至るまで長い間与えられずにいた、純粋に肉体的な形以外で創造的であることに対する人間としての希望と権利にとって、大して役立つものではない。

女は自分で大人にならなければならない。これが、——この一人立ちできるようになるということが、大人になるということの本質なのである。女は他のものに頼ったり、自分の力を験《ため》すのに他のものと競争しなければならないと思ったりするのを止《や》めなければならない。昔は女は依存と競争、因循と女性尊重の両極端の間を往復していて、これはいずれも女に平衡を失わせるものであり、いずれも女に完全に一人の女であることを許さない。それができる中心の位置を女は自分で見付けなければならず、そうすることで完全に自分になることが必要である。私には、女は「一つの孤独」の関係を実現するのに先《ま》ず、詩人の忠告に従って、「誰か他のもののために自足した一つの世界」にならなければならないように思われる。

それだけでなくて、男も、女も、この非常に困難な仕事をし遂げなければならないのではないかと私は考える。男も、自分だけで足りる一つの世界になる必要があるのではないだろうか。男も、自分の今まで無視してきた面を拡充し、例えば、外での活動のためにやる暇がなかった内省の習慣を身に付けるとか、余り味う機会がなかった他の人間との個人的な関係を楽しむことを覚えるとか、忙しくてそのままにしていた芸術とか、感情とか、文化とか、精神とか、そういういわば、女性的なものに関心を向けるべきではないだろうか。或いはアメリカの男も、女も、我々の物質的で活動的な、外部に向けられた男性的な文化で、心とか、精神とか、そういういわゆる、女性的なものに飢えているのかも知れなくて、それは実際は男性的でも、女性的でもなくて、単に我々が今まで無視してきた人間的なものに過ぎないのである。そういう線に沿って成長することが我々を人間的に完全にし、各個人に自足した一つの世界になることを得させる。

しかし各個人がこうして完全に自分になり、自足した一つの世界になれば、男と女はそれだけお互いから離れることになるのを免《まぬか》れないのではないだろうか。確かに、成長するというのは分離することであるが、それは木の幹が育つに従って枝や葉に分れるのと同じことである。木はやはり一本の木であって、その各部分が一つになってこの木ができている。そして二つの別々な世界、或いは二つの孤独は、各自が一つのものの貧弱な半分だった時よりも多くのものをお互いに与えることができるのではないだろうか。「二人の人間の間で完全に何でも分け合うということはあり得ない」とリルケは書いている。「そしてそれにも拘《かかわ》らず、そういう共同の生活が営まれていると見える場合は、それは何かが狭《せば》められているのであって、二人のうちの一人か、或いは両方の自由と発達を阻《はば》む契約が取交されていることなのである。しかし最も近い二人の人間の間にも無限の距離がやはりあることが理解され、それが受入れられれば、そしてもしこの二人が二人の間にあるこの距離を愛するに至るならば、それは互いに相手の全体を広い空を背景に眺《なが》めることを許して、二人だけのまたとない生活が始まることになる」

これは美しい影像であるが、これを実現することができるだろうか。一人の詩人の手紙以外に、そのような結婚生活がかつて存在したことがあるだろうか。リルケが説いた二つの孤独の観念や、マックマレーの完全に個人的な関係は、今のところは確かにまだ理論の域を脱していない。しかし探険をするのには先ず理論がなくてはならなくて、我々は荒野の中を行くのに、どんな手掛りも無視することはできない。なぜなら、我々は実際に、伝統と因習と教義の迷路の中で新しい道を切り開こうとしている先駆者に他ならないからである。我々の努力は、男女の関係、と言うよりも寧《むし》ろ、凡て人間と人間の関係に対する観念をもっと成熟させるために続けられている戦いの一部をなしている。それ故に、このことに就いて少しでも理解を増すのは貴重なことであって、一歩でも、それが仮に試験的な一歩でも踏み出すことにはそれだけの意味がある。そして完全なたこぶねの生活というものに出会ったことはないにしても、我々は自分たちの生活でも、極く僅《わず》かな間、その一端を窺《うかが》う機会を与えられたことはあって、そういう短い経験が、未来の人間と人間の新しい関係がどんなものであり得るかを我々に教えてくれる。

私はこの島で、そういう経験をした。一人で一週間暮した後、私の妹が来て私と一週間いたのである。私はそのうちの一日を取って、机の上に並べてある貝殻《かいがら》と同じように、私の前に置いてこれを眺め、引っくり返し、そのいい所に就いて考えてみたいと思う。私は、自分の生活がこの一日、――一週間の休暇の中から選んだこの完璧《かんぺき》な一日と同様になる時が来るとは思っていない。完璧な生活などというものはあり得ないのである。それに二人の姉妹の関係は男と女の関係とは違っているが、それは凡て人間と人間の関係の本質を我々に示すことにはなって、どんな関係でも、それがもし成功していれば、凡ての関係に就いて我々に教えてくれる。そして完璧な一日は完璧な生活というもの、――それが或いはたこぶねの神秘的な生活であるかも知れないものの手掛りになる。

　私たち二人は同じ小さな部屋で、木麻黄《もくまおう》の木の枝を吹き抜けるそよ風の音と、浜辺に静かに砕ける波の音で、善良な子供の深い眠りから眼《め》を覚ました。そして滑らかに拡《ひろ》がっていて、前の晩の潮が引いた後に残された濡《ぬ》れた貝殻が方々に光る浜辺まで、跣《はだし》で駈《か》けて行った。朝、海で一泳ぎすることは、私にとっては洗礼を受けて祝福され、世界が我々に感じさせる美しさと驚きに対して再び眼を開かれるような働きをする。そして私たちは浜辺から駈け戻って、家の裏にある小さなヴェランダで熱いコーヒーを飲んだ。ヴェランダは台所用の椅子二つと、私たちの間に置かれた子供用の卓子《テーブル》だけで一杯の狭さで、私たちは日光に足を伸ばして笑いながら、その日一日の予定を立てた。

　洗うものが少ししかないので、私たちは使った皿をただ手当り次第に洗った。仕事は楽で、二人は本能的に協力し、台所を行ったり来たりしてぶつかることもなかった。そして掃いたり、皿を拭《ふ》いたり、しまったりしている間も、誰か私たちが知っている人や、詩や、何か共通の思い出に就いて話をしていて、そのほうが私たちがしている仕事よりも大事に感じられたから、仕事も訳なくできた。

　それから私たちは銘々の部屋に閉じ籠《こ》もって仕事をして、お互いにその邪魔をする気は少しもなかった。自分も、自分と一緒にいるものも、自分がどこにいて、この次に何をするかも忘れて書くということ、眠りや海の水の中に沈むのと同じ具合に仕事に浸るということは、我々を本当に解放してくれるものである。鉛筆や、用紙や、字で埋められて巻き上がった青い紙が机の上に積み重なって、それからお腹《なか》が空《す》いたのに刺激され、私たちは少しぼんやりした頭で立ち上がって遅い昼の食事の用意に取掛った。仕事に完全に集中していたので、少し眩《めま》いがするのを感じながら昼の食事の細々《こまごま》した支度をするのは、それが何か現実の世界に私たちを繋《つな》ぎ止めてくれる綱のようで、安心だった。私たちは精神的な仕事の海に溺《おぼ》れ掛けて、足が筋肉の仕事の底に着いたのが嬉《うれ》しかった。

そういう仕事も一時間ぐらいで終って、私たちは午後はまた浜辺に出掛け、仕事だとか、凡て特定の事柄《ことがら》、実際的な事柄を忘れ去った。そして黙って浜辺を歩いて行ったが、それは私たちには解らない或る内的な律動と調子を合せているバレエの踊り手たちの身振りで、私たちの前を進む千鳥の群と同様に、互いに或る調和を感じながらだった。親密と言えるような気持は風に吹き飛ばされ、感情は沖に運び去られた。私たちは考えることからも、少なくとも、考えと考えを繋ぎ合せる仕事からは遠ざかって、日光にさらされて真っ白になった流れ木のように清潔であり、貝殻のように空《から》で、やがて非情な海と、空と、風に満たされ、外界を吸い込むのに長い午後を費やした。

そして私たちが、足下の海藻《かいそう》も同様にぐったりして重くなってから、夕方、私たちの家の温かくて親密な空気の中に戻って来た。私たちは火が燃えている炉の前でゆっくりシェリー酒を飲み、話をしながら夕食を始めた。私は学校時代の習慣がまだ残っていて、朝は頭を使う仕事のためであり、午後は手仕事、それから外でやる仕事に適しているという気がする。しかし夜は人と考えや感想を分け合い、話をする時である。これは、光ではっきり区切られていた昼間の後で、無限に拡がっている夜の暗闇《くらやみ》が我々をお互いに相手に対して解放するからだろうか。或いは、無限の空間と暗闇が我々を圧倒して、我々に人間が放つ小さな火花を求めさせるからなのだろうか。

話し合うこと、――しかしそれは余り長くなってはならない。なぜなら、みっちり話をすることはコーヒーのように我々を刺激して、後でなかなか眠れないものだからである。私たちは寝る前に、もう一度星空の下に出て行って、浜辺を歩いた。そして歩き疲れると、砂の上に仰向けに寝そべって空を見上げ、空の広さに私たちも拡がって行くような感じになった。星は私たちの中に流れ込んできて、私たちは星で一杯になった。

私たちはこれが欲しかったのだ、ということが解った。昼間の仕事や、細々《こまごま》したことや、親密な感情や、心から話し合えたことさえもが与える狭苦しい気持の後では、波のように自分の胸に流れ込んでくる星で一杯の夜というものの大きさと普遍性が欲しくなるものなのである。

そしてしまいに、星と星の間にある広大な空間から、私たちはそこの、私たちがいる浜辺に戻って来た。私たちは黒い霞《かすみ》の塊りに見える木立の間から、家の明りが差している方に向って歩いて行った。家は小さくて安全で、我々を温かく迎える感じでそこにあり、それは暗闇の巨大な混沌《こんとん》にともされた小さな人間的な火なのだった。そして私たちは家に着いて、再び善良な子供の眠りに誘い入れられた。

私はこの一日をもう一度その始まりまで戻して、なんという素晴らしい一日だったのだろうと考える。これをこのような一日にしているものは何なのだろうか。この一日には、我々にとって手本になるものがあるのではないだろうか。先ず第一に、ここには自由というものの手本がある。この日の背景になっているものは時間的にも、空間的にも少しも窮屈な感じがしなくて、不思議なことに、島では時間も、空間も無限だという印象を受ける。またこの一日のうちにしたことも、その種類の上で制限されているということがない。それは手仕事と、精神的なものと、人間的な付き合いの間に自然に平衡が取れたもので、無理のない律動がそこにある。仕事が無理のために歪《ゆが》められているということがない。また、付き合いが義理で縛られていなくて、親密な感情も或る気軽さで和らげられている。私たちはこの一日を二人の踊り手が踊るように過して、本能的に同じ律動に従っていたから、ただ僅かに触れ合えば、それで足りた。

人と人とのこういう関係は踊りと同じ様式のもので、これを支配している規則も同じである。二人のものは同じ一つの律動に従って自信を持って体を動かすから、手をしっかり握り合っている必要はなくて、モーツァルトの舞曲のように、動作は複雑であると同時に陽気で早くて、そして自由なのである。固く手を握ったりすれば動きが鈍り、絶えず発展して限りなく変化していく美しさが壊されることになる。ここには、強引にしがみ付くとか、腕に縋《すが》るとか、重く寄り掛るとかする余地はなくて、通りすがりに僅かに触れ合うだけなのである。腕を組もうと、向き合おうと、或いは互いに背を向けようと、その一つ一つを区別する必要はないのであって、それは二人が同じ律動に従っていて、一緒に或る一つの形を生み出し、それによって銘々が支えられていることを知っているからなのである。

そういう形を作り出す喜びというものは、創造する喜び、また協力する喜びであるだけでなくて、その瞬間、瞬間に生きる喜びでもあり、そうして生きるのと身軽な動きが一緒になっている。旨《うま》く踊るのには、音楽と完全に調子を合せて、前のステップを長引かせたり、次のステップを急いだりせずに、いつも現在のステップを踏んでいなければならない。どのステップにも完全に乗っていることが、踊り手に時間を快く超越して永遠を垣間《かいま》見ている感じを与える。ブレークの詩に、

喜びを自分のために曲げるものは
翼がある生命を滅ぼすが、
通り過ぎる喜びに接吻《せっぷん》するものは
永遠の日差しに生きる。

というのがあるのは、このことを言っているのである。完全に調子が合っている二人の踊り手は各自の、そしてまた相手のうちにある「翼がある生命」を決して滅ぼさない。

しかしこの踊りの技術を、我々はどうしたら覚えることができるだろうか。なぜ

それがあれほど難しくて、我々は躊躇《ちゅうちょ》したり、躓《つまず》いたりばかりしているのだろうか。我々が前の瞬間に縋り付いたり、次の瞬間に待ちきれずに手を出したりするのは、恐怖からだと私は思っている。恐怖が「翼がある生命」を滅ぼすのである。そしてこの恐怖を追い払うのには、どうすればいいのだろうか。恐怖はその反対である愛によってでなければ追い払えなくて、心が愛で一杯になっている時には、恐怖や疑惑が入り込む余地はない。そしてこの恐怖を感じないということが踊りの秘訣《ひけつ》であって、二人の人間のどちらもが愛する余りに、相手も自分を愛してくれているかどうか考えることを忘れ、ただ自分が愛していて、その音楽に合せて動いていることしか念頭にない時、二人は初めて同じ律動に完全に調子を合せて踊ることができるのである。

しかしこの、音楽と一つになって踊っている二人の踊り手ということが、たこぶ、ね的な関係というものが意味する凡てなのだろうか。二人は同時に、分け合うことと孤独、親密な感情と抽象の境地、また、個別的なものと普遍的なもの、身近なものと遠いものの間を振子が往復する、もっと大きな律動と調子を合せるべきではないだろうか。そしてこういう相反するものの間を振子が往復することが、二人の人間の関係を豊かにするのではないだろうか。イエーツは人生の最高の経験は、「深遠なことを二人で一緒に考えて、それから触れ合うこと」であると言ったが、そのどっちもなくてはならないのである。

第一に触れ合うこと、例えば、二人で台所仕事をしたり、炉の傍《そば》で話し合ったりして個人的に、個別的に親密なものを感じることで、次にはその親密な感情をひっそりした浜辺とか、空一杯の星とかが与える或る抽象的で偉大な印象のうちに忘れることなのである。二人とも、普遍的なものの海に漂っていて、それは人を惹《ひ》き付けると同時に解放し、離れさせるとともに一つにする。現在よりももっと成熟した人間と人間の関係、二つの孤独の出会いというのは、こういうものなのではないだろうか。日の出貝の段階では、二人の人間が個人的に親密な付き合いをしているだけだった。牡蠣《かき》の状態でも、その個別的な、仕事本位の状態から逃れることができずにいた。しかしたこぶねまで来れば、二人は親密とか、個別的とか、仕事本位とかというものから抽象的で普遍的なものへ、そしてまたそこから個人的なものへと、自由に往復することができなくてはならないはずである。

そしてこの、振子が二つの相反する極の間をゆっくり往復しているという考えは、人間と人間の関係というものの一切に対する手掛りにもなりはしないだろうか。ここには、凡てそういう関係の翼がある生命、そういう関係が絶えず満ちたり、引いたりして、断続的であることを免れないということに対する理解さえも暗示されているのではないだろうか。「精神の生活、真実の生活は断続的であって、いつもあるのは頭の生活だけである、……」とサン＝テグジュペリは言っている。「精神は、……明視と盲目の間を往復する。……ここに、自分の農園を愛している一人の男があるとして、その男にその農園が、互いに何の関係もない幾多の物体の集まりにしか思えないこともある。また、自分の妻を愛している男がいても、彼がその愛に邪魔や束縛だけを感じる瞬間もある。また、音楽を愛する男がいても、どうかすると音楽が彼の胸まで届かずにいる」

我々の感情や付き合いの「真実の生活」も、やはり断続的なものなのである。我々が誰かを愛していても、その人間を同じ具合に、いつも愛している訳ではない。そんなことはできなくて、それができる振りをするのは嘘《うそ》である。しかしそれにも拘《かかわ》らず、我々はそういうふうに愛されることを要求していて、我々は生活や、愛情や、人間的な関係の満ち引きに対してそれほど自信がないのである。我々は潮が満ちて来ると、それに飛び付き、引始めると慌《あわ》ててそれに反抗して、潮が二度と満ちて来ないことを恐れる。我々は恒久的な持続に執着するが、生活でも、愛情でも、その持続は成長に、また、流動性に、そしてまた、自由であることにしか求めることができなくて、踊り手は自由であり、通りすがりに触れ合うだけであっても、やはり同じ律動で結び付いている。所有するのが安全なのではなくて、それは要求したり、期待したり、希望したりさえもしないことでなければならない。人間的な関係の保証は昔に郷愁を覚えて振返ってみたり、未来に恐怖を感じたり、期待を掛けたりすることにはなくて、それは現在に生き、現在の状態をそのまま受入れることにしかない。なぜなら、人間的な関係も島のようでなければならないからである。我々はそれをそれに課されたいろいろな条件とともに今、ここにある状態で受入れなければならなくて、それは島であり、海に囲まれ、海に割込まれて、潮が絶えず満ちて来たり、引いて行ったりしている。我々は翼がある生命、潮の満ち引き、また、断続的であることが我々に与えてくれる保証を信じなければならない。

　断続的であること、これを人間が自分のものにすることは非常に難しい。我々の生活が引き潮になっている時に、それをどうすれば生き抜くことができるだろうか。

波の谷に入った時はどうすればいいのだろうか。浜辺にいれば、それが比較的に解《わか》り易《やす》くて、ここの波一つ立たない引き潮の時には、我々が、普通は知らずにいる、或る別な世界が現われる。我々はこの待機の瞬間に、海の底の世界を覗《のぞ》く機会を与えられる。ここの浅瀬の温かい水の中を渡って行くと、大袖貝《おおそでがい》の群が片足で立ち、かしぱんが泥《どろ》に幾つも嵌《は》め込んだ大理石の賞牌《しょうはい》のように横たわり、無数の極彩色のおおのがいが水の中で光って、蝶《ちょう》の羽も同様に開いたり、締ったりしている。海が引いたこの静かな時間は実に美しくて、それは海が戻り始め、波が浜辺を打ちのめして、前の満ち潮の時に残していった黒い海藻の線まで行こうと焦《あせ》っている際の美しさに劣らない。

ここの浜辺での生活から私が持って帰ることになった一番大事なものは何かと言えば、それは或いは、潮が満ち引きするそのどの段階も、波のどの段階も、そして人間的な関係のどの段階も、意味があるということの思い出かも知れない。私が集めた貝は、これはポケット一つに入れて持って行ける。貝は単に、海が引いてはまた戻って来るのを永遠に繰返しているのだということを私に思い出させるためだけのものなのである。

幾つかの貝

Ⅶ

この島を離れる時が来て、私は今、荷作りをしている。この島でしたこと、ここの浜辺であれこれと考えたことから私は何を得ただろうか。私の生活に就いて、どういう解決を見付けることができただろうか。私のポケットには幾つかの貝殻《かいがら》が入っていて、それはそれだけの手掛りになるが、貝殻はほんの僅《わず》かしかない。

この島に来たての頃《ころ》のことを振返ってみると、私がひどく欲張りな貝殻の集め方をしていた感じがする。ポケットはいつもまだ海水に濡《ぬ》れた、そして隙間《すきま》にはやはり濡れた砂が付いたままの貝殻で一杯だった。浜辺には美しい貝が一面に散らばっていて、私はその一つでも見逃したくなかった。足元に気を取られて、顔を上げて海を眺《なが》める暇もなかった。蒐集家《しゅうしゅうか》というのは、大概のものに対して目隠しされているようなもので、自分が探しているものの他は何も見えない。それ故《ゆえ》に、所有欲は美しいものを本当に理解することと両立しないのである。しかし服のポケットというポケットが伸びきった上にびしょ濡れになり、本棚《ほんだな》も、窓の棚も貝で一杯になった後、私は欲張るのを止《や》めて、集めた貝の中からいいものだけを選び、他は捨てることにした。

浜辺中の美しい貝を凡《すべ》て集めることはできない。少ししか集められなくて、そして少しのほうがもっと美しく見える。つめた貝が一つあるほうが、三つあるよりも印象に残る。空に月は一つしか輝いていない。日の出貝は一つならば見付けものであるが、六つは、学校に行っている時の一週間と同じで、一つの連続でしかない。私はそのうちに捨てることを覚えて、完全なものしか取って置かないようになった。珍しい貝でなくてもいいが、形が完全に保存されているもので、島も同様にこれを銘々から離して並べた。

なぜなら、回りに空間があって初めて美しいものは生きるからである。事件や、ものや、人物はそうして初めて意味があるので、だからまた、美しくもあるのである。一本の木は空を背景にして意味を生じ、音楽でも、一つの音はその前後の沈黙によって生かされる。蠟燭《ろうそく》の光は夜に包まれて花を咲かせる。つまらないものでも、回りに何もなければ意味があって、東洋画で白紙のままにされた片隅《かたすみ》に、秋草が何本か書いてあるのもその一例である。

コネティカットでの私の生活には空間が余りにも不足していて、それで意味がない、つまり、美しくないのだということが解《わか》る。空間には字が一面に書き込まれ、時間は一杯になっている。私の控え帳には空白の箇所《かしょ》が殆《ほとん》どなくて、一日のうちに何もしないでいられる時間は少ないし、私の生活には、自分一人でいられる空いた部屋がない。仕事や、持ちものや、会わなければならない人が多過ぎるのである。やり甲斐《がい》がある仕事や、面白い人や、貴重な持ちものが多過ぎる。なぜなら、つまらないことだけでなくて、重要なことも我々の生活の邪魔をするからである。一つか二つの貝殻ならば意味があるのに、我々は宝ものを、——貝殻を持ち過ぎているという場合も生じる。

この島には空間がある。可笑《おか》しなことに、この限られた場所では却《かえ》って空間を押付けられることになる。地理的な境界線や、労力の限度や、通信上の不自由は、いやでも選択の範囲を狭《せば》めて、仕事も、人も、ものも多過ぎず、どれもが十分な時間と空間の枠《わく》の中に置かれているので意味がある。ここには時間があって、静かにしているのにも、無理をせずに仕事をするのにも、考えるのにも、鷺《さぎ》が根気よく獲《え》ものを探すのを眺めているのにも、時間に困ることはない。星を見上げる時間もあれば、一つの貝殻をいじくり回す時間もあり、友達に会って無駄話《むだばなし》をし、笑い、話し込むこともできる。そして話をしないでもいられる。コネティカットでは、友達に会っていられる時間が余りに僅かであり、貴重なので、立て続けに話していなければ気がすまない。そういう時、私たちが黙っているのは贅沢《ぜいたく》なのである。しかしこの島では、私は友達と黙って一日の最後の薄い緑色をした光が水平線に残っているのや、白い小さな貝殻の渦巻《うずまき》や、星で一杯の夜空に流星が残す黒ずんだ跡を眺めていられる。話をする代りに交感するのであって、そのほうがどんな言葉よりも私たちを力付けてくれる。

島での生活は私の代りに選択してくれるが、それは極めて自然な具合にである。そしてそれは量の問題であって、ものの性質によってではない。この島ではいろいろな種類の経験をするが、それが決して多過ぎないのである。いろいろな人間がいても、その数は限られていて、そしてここでの質素な生活は私に知的な仕事や人との付き合いだけでなしに、体を使う仕事もしないではいられなくする。自動車がないから、私は買いものや郵便を受取りに自転車に乗って行く。寒い時は、流れ木を集めてきて、その上にそれを割らなければならない。私はお風呂《ふろ》に入る代りに、海で泳ぐ。ごみはトラックが来て持って行くのではなくて、自分で穴を掘って埋める。そして詩が書けない時はビスケットを焼いて、それで同じくらい満足する。こういう手仕事や力仕事は、時間一杯の生活をしているコネティカットの私の家では、重荷になるばかりである。家には子供が大勢いて、私はまた多くの人間の生活に対して責任も持たされている。しかしこの島では時間も、空間も十分にあって、手仕事も気晴しになり、私の生活に平衡を保たせてくれて、これは私の家では望めないことである。寝床を直したり、市場まで自動車を運転して行ったりするのは、泳いだり、自転車に乗ったり、土を掘ったりするように頭を休ませてはくれない。しかし私の家に戻ったならば、ごみを土に埋める訳にはもういかなくても、庭仕事はできて、私の仕事部屋にしている小屋まで自転車で行けるし、そして何も書けない時にはビスケットを焼くのを忘れずにいたいと思う。

この島での生活は私に代って、人の選択もしてくれる。小さな島であるから、そう大勢の人間はいなくて、ここでは、私が家にいれば滅多に会わないような、年齢の点でも、職業の上でも私とは掛け離れた人たちと顔を合せる。大きな都会の郊外では、私たちは年齢も、趣味も私たちと余り違わない人たちと付き合うのが普通で、私たちが郊外に住むことにしたのも、夫と私が大体同じ仕事をしていて、好みも似ているからだった。しかしこの島では、私とはそういう点で非常に違った人たちと付き合うことになって、こういう時間も、空間も十分にある場所では、それが必ず面白い、私にいろいろなことを教えてくれる人たちなのである。これは航海や、長い汽車の旅行や、小さな村での一時住まいで誰でもが経験することと同じで、人生の渦巻の中から、一つの場所に閉じ込められているという偶然が何人かの人間を仲間にして、これは私たちが自分で選んだ仲間ではなしに、人生が私たちのために選んでくれたのである。しかしそうなれば、私たちはお互いに相手を理解しようと努力し、その努力が私たちにとって刺激になる。大きな都会に住んでいて困ることは、私たちが人の選択をすれば、——そして大勢のものの中で生活し、仕事をし、息をするのにはそうして選択する他ないのであるが、——私たちが自分と同じような人間を選んで、それで生活が非常に単調になるということである。例えば、私たちがどういう人間であるかによって、前菜ばかりで肉の料理がない、或《ある》いはまた、野菜と菓子ばかりの食事に似た付き合いをすることになるのである。しかし人によって好みがどんなに違っていても、一つ確かなことは、私たちは何を選ぶのでも、大概の場合、既に知られているものを取り、未知のものに向うことは稀《まれ》にしかない。それは未知のものが私たちを不愉快にしたり、落胆させたり、或いはただ少しばかり扱い難《にく》かったりすることを恐れるからなのであるが、そのように落胆したり、当てが外れたりすることはあっても、私たちを本当に豊かにしてくれるのは凡てそういう、未知のものなのである。

島での生活はいろいろな意味で、私が家でやるよりも旨《うま》く私のために選択してくれる。私がコネティカットに帰ったならば、私はまた、遠心的な活動のみならず、求心的な活動も多過ぎて、また、気を紛らせることだけでなしに、やり甲斐がある仕事が、そしてまた、つまらない人ばかりでなくて面白い人も多過ぎて、その下に埋まってしまうのだろうか。世界の多様な姿が、また私の価値の観念を歪《ゆが》めるに違いない。質ではなくて量が、静寂ではなくて速度が、沈黙ではなくて騒音が、考えではなくて言葉が、そして美しさではなくて所有欲が、価値の基準になるのである。私はこれにどうすれば抵抗することができるだろうか。どうすれば、人間を幾つにも分割する圧力に対して自分を守れるだろうか。

私は島での自然な選択の代りに、ここにいる間にはっきりしてきた、今までとは違った価値の基準によるもっと意識的な選択の方法を採用しなければならない。それを私は島の教訓と呼んでもいいので、今までとは別な生活の仕方へのそれは指針なのである。それは、人生に対する感覚を鈍らせないために、なるべく質素に生活すること、体と、知性と、精神の生活の間に平衡を保つこと、無理をせずに仕事をすること、意味と美しさに必要な空間を設けること、一人でいるために、また、二人だけでいるために時間を取っておくこと、精神的なものや、仕事や、人間的な関係からでき上がっている人間の生活の断続性を理解し、信用するために自然に努めて接近することなどであって、いわば、そういう幾つかの貝殻である。

島での生活は、それを通してコネティカットでの私の生活を調べるレンズの役をしてくれた。私はこのレンズをなくしてはいけない。休みの間に与えられた視覚は段々に弱っていくもので、私は島の眼《め》でものを見ることを忘れてはならない。貝殻が私にそれを思い出させてくれて、私の島の眼になってくれるだろうと思う。

浜辺を振返って

Ⅷ

私は麻で編んだ籠《かご》を持ち、柔らかな砂が足の下で崩れて、一人で考えていられる時はもう直《す》ぐ終る。

質素な生活と、内的な自足と、人間的な関係の充実を求めるというのは、これはかなり狭いものの見方ではないだろうか。或《あ》る意味では、それは勿論《もちろん》そうである。一種の世界的な立場と言ってもいいものが人類の前に突然に現われて、世界は今日、我々の周囲に益々《ますます》広くなっていく輪を描いて鳴動し、火を吹き始めている。そして我々から一番遠い輪に当る所で生じた大緊張や、対立や、災難も我々に影響せずにはおかなくて、我々はそれに無関心でいることはできない。

しかし我々がこの世界的な感覚に即して行動するのには、どうすればいいのだろうか。我々は今日、世界中のものに同情し、活字になって伝えられる報道を凡《すべ》て消化し、我々の心や頭に生じる道徳的な衝動を残らず行為に移すことを要求されている。世界の凡ての部分が互いに各種の関係で結ばれることになったために、我々は我々の心には入りきれないほど多くの人間のことを絶えず思っていなければならない。と言うよりも、――なぜなら、私は人間の心というものの大きさは無限であると考えるから、――現代の伝達の方法がいろいろな問題を我々に課して、それは人間の体力が堪え得る量を越えている。そして我々の心や、頭や、想像力が広い範囲にわたって働かされるのはいいことだと私は思うが、我々の体や、神経や、耐久力や、寿命はそれほどに伸縮自在のものではない。私の一生は、私の心を動かす凡ての人々の要求に行為によって答えるのには短か過ぎる。私はその人たちの凡てと結婚することも、その人たちを凡て私の子供として生むことも、或《ある》いは私の両親が病気になったり、年取ったりした場合と同様にそういう人たちの凡ての世話をすることもできない。私たちの祖母たちは、また、少し無理をすれば、母たちでさえも、その心や頭に生じる大概の衝動が行為に移せる狭い範囲内で生活していた。そして私たちもその同じ伝統の下に育ったのであって、それが今日ではもう通用しなくなったのは、私たちの生活の範囲が時間と空間の全体に拡《ひろ》げられるに至ったからである。

こういう困難に直面して、私たちはどうすればいいのだろうか。私たちはどうすれば私たちの世界的な感覚と、厳しい良心を調和させることができるだろうか。私たちはそのことで、何かの形で妥協することになる。私たちは多数の人間の一人々々に就いて考える訳にはいかないから、ときにはこれを多数という名の下に、一つの抽象として扱おうとする。また現在の複雑な状態に手を焼いて、これを飛び越え、未来のもっと簡単な夢に生きる。そして私たちの周囲にある私たち自身の問題を解決することができないので、私たちがいる場所から離れた所で起っている世界の問題に就いて論じ合う。私たちが背負わされた堪え難い重荷から、私たちはそうして絶えず逃れようとしている。しかし私たちは本当に多数という一つの抽象に心を動かすことができるだろうか。また、未来は現在の代用になるだろうか。そして私たちが現在を無視して、それで未来がよくなると言えるだろうか。また、私たち自身の問題が解決できなくて、世界の問題が解決できるだろうか。私たちはそうすることに、どこまで成功しただろうか。輪の中心ではなしに、その外側に注意を向けることで、どれだけの効果を挙げることができただろうか。

考えてみると、現代生活で実際に損害を蒙《こうむ》っているのは前に挙げた三つの中心、自分が現にいる場所と、現在と、それから個人というものとその他の人間との関係ではないだろうか。未来への競争で現在は脇《わき》へ押しやられ、自分から離れた場所のことが取上げられて、自分が現にいる場所は無視され、個人は多数によって圧倒されている。アメリカは今日の世界にまだ残っている現在の中で最も輝かしいものを与えられていながら、未来に対して貪欲《どんよく》な余りに、その現在を楽しんでいる暇がない。歴史家、或いは社会学者、或いは哲学者は、私たちがまだ開拓時代のアメリカ人の活動に駆られていて、その精神や、次の「こと」をしなければならないという清教徒的な観念から抜けきれずにいるのだと言うかも知れない。しかし一方、過去の思い出に耽《ふけ》っているように私たちがいつも思うヨーロッパは、不思議なことに、今度の戦争以来、現在というものを見直さずにはいられなくなっている。よかった過去の日々は余りにも遠くて、最近の過去は余りに悲惨なものであり、未来はどんなことになるのか全く解《わか》らないので、現在が「ここ」と「今」の黄金の現在に変る機会を与えられたのである。今日、ヨーロッパ人はただ日曜日に田舎に散歩に出掛けるとか、町の喫茶店で一杯のコーヒーを飲むとかいう簡単なことでも、それで現在を楽しんでいる。

　或いは人間は、ここと、今が脅《おびや》かされるようになるまでは、それに目を留めないものなので、ここと、今は今日のアメリカでも、漸《ようや》く脅かされ始めている。我々は個人というものが我々の時代になって多数に、――その多数が産業であっても、戦争であっても、或いは思想や行為の統制であっても、――その多数に個人であることを返上する誘惑や脅迫にさらされることになったために、却《かえ》って個人の尊厳に目覚め出したのではないだろうか。我々は今こそ、ここと、今と、個人というものを本当に理解することができるのである。

　ここと、今と、個人というものは当《まさ》に聖者と、芸術家と、詩人と、それからこれは大昔から、女が特に関心を寄せていたものなのである。女は家庭という一つの狭い範囲で、その家庭をなしている一人々々に認められる独自のものを、また、今という時間の自然の姿を、また、ここという場所の掛け替えのなさを決して忘れたことがない。そしてこれが生活の基本であり、そしてまたもっと大きな、多数とか、未来とか、世界とかいうものを作っている要素なのである。我々はそれを無視することはできても、それなしではすまされない。こういう要素は、川になって流れる水の滴《しずく》であり、生命そのものの本質であって、それが現在では無視され勝ちであることに抗議するのが、女である私たちに与えられた任務であるかも知れないのである。そしてそれは、もっと大きな責任から逃れるためではなくて、そういう責任の性質をよりよく認識し、その解決に乗り出す第一歩としてなのである。私たちが私たちの中心にあるものから出発すれば、そこから輪の外側まで拡がっている、何か価値があるものを発見する。私たちは今ある喜びと、ここにある平和と、自他にある愛を再び取返して、地上にある神の王国はそういうもので作られているのである。

波音が私の後から聞えてくる。忍耐、——信念、——寛容、と海は私に教える。質素、——孤独、——断続性、……。しかし私が行ってみなければならない浜辺は他にまだ幾つもあり、貝殻《かいがら》もまだ幾種類もある。これは私にとって、そのほうへ一歩を踏み出したのに過ぎないのである。

あとがき

本書の著者は、大西洋横断飛行に最初に成功したので有名なリンドバーグ大佐の夫人で、他にも著書が幾つかある。夫人自身も、世界の女流飛行家の中では草分けの一人であり、また今度の大戦の後ではヨーロッパに渡って、フランス、ドイツなどの罹災民《りさいみん》の救援事業に挺身《ていしん》し、戦災を受けた各国の状況に関する貴重な報告書を出している。

しかし本書には、著者のそういう経歴に就いては何も書いてなくて、ここで語っているのは経歴などというものを一切取捨てた一人の女であり、また一家の主婦であって、語られているものは、その女が自分自身を相手に続けた人生に関する対話である。一人のアメリカの女と言い直す必要さえなくて、ここでは、現代に生きている人間ならば誰でもが直面しなければならない幾つかの重要な問題が、著者の生活に即して、というのは、世界のどこに行っても今日では大して変りがない日常生活をしている一人の人間の立場から、自分自身に語り掛ける形で扱われている。現代社会とか、世界平和とかいう大きな問題がいかに我々の生活と密接に結び付いているかを本書は示しているばかりでなくて、そういうものが凡《すべ》て我々の生活を出発点にしているという我々が忘れ易《やす》い事実を、著者が瞬時も見逃さないことが、この『海からの贈物』にこれだけの説得力を与えているものと思われる。

機械化とか、物質文明とかいうことが常に言われているアメリカにこの種類の名著が現われたのは不思議に感じられるかも知れない。しかしそれは、人間が外部からの圧力に対して全く無力であるという現代の迷信に属した見方であることを、本書の著者自身が誰よりも先に指摘するに違いないのである。

訳　者

アンデルセン
矢崎源九郎訳
絵のない絵本
世界のすみずみを照らす月を案内役に、空想の翼に乗って遙かな国に思いを馳せ、明るいユーモアをまじえて人々の生活を語る名作。

堀口大學訳
アポリネール詩集
失われた恋を歌った「ミラボー橋」等、現代詩の創始者として多彩な業績を残した詩人の、斬新なイメージと言葉の魔術を駆使した詩集。

イプセン
矢崎源九郎訳
人形の家
私は今まで夫の人形にすぎなかった！　独立した人間としての生き方を求めて家を捨てたノラの姿が、多くの女性の感動を呼ぶ名作。

堀口大學訳
ヴェルレーヌ詩集
不幸な結婚、ランボーとの出会い……数奇な運命を辿った詩人が、独特の音楽的手法で心の揺れをありのままに捉えた名詩を精選する。

T・ウィリアムズ
小田島雄志訳
欲望という名の電車
ニューオーリアンズの妹夫婦に身を寄せたブランチ。美を求めて現実の前に敗北する女を、粗野で逞しい妹夫婦と対比させて描く名作。

B・ヴィアン
曾根元吉訳
日々の泡
肺に睡蓮の花を咲かせ死に瀕する恋人クロエ。愛と友情を語る恋人たちの、人生の不条理への怒りと幻想を結晶させた恋愛小説の傑作。

D・ウィリアムズ
河野万里子訳

自閉症だったわたしへ

いじめられ傷つき苦しみ続けた少女は、居場所を求める孤独な旅路の果てに、ついに「生きる力」を取り戻した。苛酷で鮮烈な魂の記録。

オールコット
松本恵子訳

若草物語

温和で信心深い長女メグ、活発な次女ジョー、心のやさしい三女ベスに無邪気な四女エミイ。牧師一家の四人娘の成長を爽やかに描く名作。

O・ヘンリー
小川高義訳

賢者の贈りもの
—O・ヘンリー傑作選I—

クリスマスが近いというのに、互いに贈りものを買う余裕のない若い夫婦。それぞれが一大決心をするが……。新訳で甦る傑作短篇集。

J・オースティン
小山太一訳

自負と偏見

恋心か打算か。幸福な結婚とは何か。十八世紀イギリスを舞台に、永遠のテーマを突き詰めた、息をのむほど愉快な名作、待望の新訳。

カミュ・サルトル他
佐藤 朔訳

革命か反抗か

人間はいかにして「歴史を生きる」ことができるか——鋭く対立するサルトルとカミュの間にたたかわされた、存在の根本に迫る論争。

R・カーソン
青樹簗一訳

沈黙の春

自然を破壊し人体を蝕む化学薬品の浸透……現代人に自然の尊さを思い起させ、自然保護と化学公害告発の先駆となった世界的名著。

中村能三訳
サキ短編集
ユーモアとウィットの味がする糖衣の内に不気味なブラックユーモアをたたえるサキの独創的な作品群。「開いた窓」など代表作21編。

E・ケストナー
池内 紀 訳
飛ぶ教室
元気いっぱいの少年たちが学び暮らすギムナジウムにも、クリスマス・シーズンがやってきた。その成長を温かな眼差しで描く傑作小説。

ショーペンハウアー
橋本文夫訳
幸福について
—人生論—
真の幸福とは何か？　幸福とはいずこにあるのか？　ユーモアと諷刺をまじえながら豊富な引用文でわかりやすく人生の意義を説く。

上田和夫訳
シェリー詩集
十九世紀イギリスロマン派の精髄、屈指の抒情詩人シェリーは、社会の不正と圧制を敵とし、純潔な魂で愛と自由とを謳いつづけた。

スタンダール
大岡昇平訳
恋愛論
豊富な恋愛体験をもとにすべての恋愛を「情熱恋愛」「趣味恋愛」「肉体的恋愛」「虚栄恋愛」に分類し、各国各時代の恋愛について語る。

大久保康雄訳
スタインベック短編集
自然との接触を見うしなった現代にあって、人間と自然とが端的に結びついた著者の世界は、その単純さゆえいっそう神秘的である。

ニーチェ
西尾幹二訳

この人を見よ

ニーチェ発狂の前年に著わされた破天荒な自伝で、〝この人〟とは彼自身を示す。迫りくる暗い運命を予感しつつ率直に語ったその生涯。

阿部知二訳

バイロン詩集

不世出の詩聖と仰がれながら、戦禍のなかで波瀾に満ちた生涯を閉じたバイロン――ロマン主義の絢爛たる世界に君臨した名作を収録。

片山敏彦訳

ハイネ詩集

祖国を愛しながら亡命先のパリに客死した薄幸の詩人ハイネ。甘美な歌に放浪者の苦渋がこめられて独特の調べを奏でる珠玉の詩集。

R・バック
五木寛之創訳

かもめのジョナサン【完成版】

自由を求めたジョナサンが消えた後、彼の神格化が始まるが……。新しく加えられた最終章があなたを変える奇跡のパワーブック。

バーネット
畔柳和代訳

小公女

最愛の父親が亡くなり、裕福な暮らしから一転、召使いとしてこき使われる身となった少女。永遠の名作を、いきいきとした新訳で。

J・ヒルトン
白石 朗訳

チップス先生、さようなら

自身の生涯を振り返る老教師。生徒の愉快な笑い声、大戦の緊迫、美しく聡明な妻。英国パブリック・スクールの生活を描いた名作。

フローベール
芳川泰久訳
ボヴァリー夫人

恋に恋する美しい人妻エンマ。退屈な夫の目を盗み重ねた情事の行末は？　村の不倫話を芸術に変えた仏文学の金字塔、待望の新訳！

E・ブロンテ
鴻巣友季子訳
嵐が丘

狂恋と復讐、天使と悪鬼――寒風吹きすさぶ荒野を舞台に繰り広げられる、恋愛小説の恐るべき極北。新訳による〝新世紀決定版〟。

龍口直太郎訳
フォークナー短編集

アメリカ南部の退廃した生活や暴力的犯罪の現実を、斬新な独特の手法で捉えたノーベル賞受賞作家フォークナーの代表作を収める。

フィツジェラルド
野崎　孝　訳
フィツジェラルド短編集

絢爛たる'20年代、ニューヨークに一世を風靡し、時代と共に凋落していった著者。「金持の御曹子」「バビロン再訪」等、傑作6編。

ヘッセ
高橋健二訳
幸　福　論

多くの危機を超えて静かな晩年を迎えたヘッセの随想と小品。はぐれ者のからすにアウトサイダーの人生を見る「小がらす」など14編。

ヘミングウェイ
高見　浩　訳
われらの時代・男だけの世界
―ヘミングウェイ全短編1―

パリ時代に書かれた、ヘミングウェイ文学の核心を成す清新な初期作品31編を収録。全短編を画期的な新訳でおくる、全3巻の第1巻。

阿部 保訳
ポー詩集
十九世紀の暗い広漠としたアメリカ文化の中で、特異な光を放つポーの詩作から、悲哀と憂愁と幻想にいろどられた代表作を収録する。

堀口大學訳
ボードレール詩集
独特の美学に支えられたボードレールの詩的風土——「悪の華」より65編、「巴里の憂鬱」より7編、いずれも名作ばかりを精選して収録。

ボーヴォワール
青柳瑞穂訳
人間について
あらゆる既成概念を洗い落して、人間の根本問題を捉えた実存主義の人間論。古今の歴史や文学から豊富な例をひいて平易に解説する。

安藤一郎訳
マンスフィールド短編集
園遊会の準備に心浮き立つ少女ローラが、あるきっかけから人生への疑念に捕えられていく「園遊会」など、哀愁に満ちた珠玉短編集。

モーパッサン
新庄嘉章訳
女の一生
修道院で教育を受けた清純な娘ジャンヌを主人公に、結婚の夢破れ、最愛の息子に裏切られていく生涯を描いた自然主義小説の代表作。

S・モーム
金原瑞人訳
月と六ペンス
ロンドンでの安定した仕事、温かな家庭。すべてを捨て、パリへ旅立った男が挑んだものとは——。歴史的大ベストセラーの新訳！

新潮文庫最新刊

林 真理子著
小説8050
息子が引きこもって七年。その将来に悩んだ父の決断とは。不登校、いじめ、DV……家庭という地獄を描き出す社会派エンタメ。

宮城谷昌光著
公孫龍 巻二 赤龍篇
天賦の才を買われた公孫龍は、燕や趙の信頼を得るが、趙の後継者争いに巻き込まれる。中国戦国時代末を舞台に描く大河巨編第二部。

五条紀夫著
イデアの再臨
ここは小説の世界で、俺たちは登場人物だ。犯人は世界から[redacted]を消す!? 電子書籍化・映像化絶対不可能の〝メタ〟学園ミステリー！

本岡 類著
ごんぎつねの夢
「犯人」は原稿の中に隠れていた！ クラス会での発砲事件、奇想天外な「犯行目的」、消えた同級生の秘密。ミステリーの傑作！

新美南吉著
ごんぎつね でんでんむしのかなしみ
―新美南吉傑作選―
大人だから沁みる。名作だから感動する。美智子さまの胸に刻まれた表題作を含む傑作11編。29歳で夭逝した著者の心優しい童話集。

カフカ
頭木弘樹編
決定版カフカ短編集
特殊な拷問器具に固執する士官を描く「流刑地にて」ほか、人間存在の不条理を描いた15編。20世紀を代表する作家の決定版短編集。

海《うみ》からの贈《おくり》物《もの》

新潮文庫　リ-2-1

Published 1967 in Japan
by Shinchosha Company

昭和四十二年七月二十日　発行
平成十六年五月十五日　七十二刷改版
令和六年六月五日　八十二刷

訳者　吉《よし》田《だ》健《けん》一《いち》

発行者　佐藤隆信

発行所　株式会社新潮社
郵便番号　一六二―八七一一
東京都新宿区矢来町七一
電話　編集部(〇三)三二六六―五四四〇
　　　読者係(〇三)三二六六―五一一一
https://www.shinchosha.co.jp

価格はカバーに表示してあります。

印刷・錦明印刷株式会社　製本・錦明印刷株式会社

ISBN978-4-10-204601-2 C0198